泰山和蚁人
Tarzan and the Ant Men

［美］埃德加·伯勒斯 / 著
毕可生　孙亚英 / 译

(京) 新登字 083 号

图书在版编目（CIP）数据

泰山和蚁人/(美) 伯勒斯（Burroughs, E. R.) 著; 毕可生, 孙亚英译.
—北京: 中国青年出版社, 2013.7
(人猿泰山系列)
书名原文: Tarzan and the Ant Men
ISBN 978-7-5153-1812-7

Ⅰ.①泰… Ⅱ.①伯…②毕…③孙… Ⅲ.①儿童文学—长篇小说—美国—现代 Ⅳ.①I712.84
中国版本图书馆 CIP 数据核字（2013）第 172793 号

责任编辑: 杜惠玲　谢肇文
封面设计: 瞿中华

出版发行: 中国青年出版社
社　　址: 北京东四十二条 21 号
邮　　编: 100708
网　　址: www.cyp.com.cn
编辑电话: 010-57350504
门市电话: 010-57350370
印　　刷: 三河市君旺印务有限公司
经　　销: 新华书店

开　　本: 620×920　1/16
印　　张: 15.5
插　　页: 1
字　　数: 160 千字
版　　次: 2015 年 5 月北京第 1 版
印　　次: 2015 年 5 月河北第 1 次印刷
定　　价: 21.00 元

本图书如有印装质量问题, 请凭购书发票与质检部联系调换
联系电话: 010-57350337

猿语(泰山的母语)——中文对照表

动　物

巴拉——鹿

勃勒冈尼——大猩猩

布吐——犀牛

旦格——鬣狗

杜罗——河马

戈格——水牛

豪尔塔——野猪

吉姆拉——鳄鱼

库图——老鹰

努玛——雄狮

派可——斑马

盘巴——老鼠

沙保——母狮

吞特——大象

希斯塔——蛇

希塔——花斑豹

(　　　　)——(　　　　　)
(　　　　)——(　　　　　)

自　然

戈罗——月亮

库都——太阳

(　　　　)——(　　　　　)
(　　　　)——(　　　　　)

人

戈曼更——黑人

塔曼戈——白人

(　　　　)——(　　　　　)
(　　　　)——(　　　　　)

你还能找出多少来呢？

目 录

一　水鬼 ………………………………………… 001
二　飞行遇险 …………………………………… 013
三　逃出阿拉里 ………………………………… 025
四　裸体猎人 …………………………………… 037
五　蚁人 ………………………………………… 047
六　特劳汉纳达尔马库斯城 …………………… 060
七　战争突发 …………………………………… 071
八　泰山被俘 …………………………………… 080
九　珍萨拉 ……………………………………… 086
十　腐败的宫廷官员 …………………………… 097
十一　苔拉丝卡尔 ……………………………… 108
十二　旧友重逢 ………………………………… 121
十三　在凡尔多皮斯马库斯的王宫中 ………… 131
十四　赞茨罗哈格的科学研究 ………………… 141
十五　从顶层逃出 ……………………………… 151
十六　两个假武士 ……………………………… 162
十七　冤家路窄 ………………………………… 171

十八　逃入隧道 ……………………………… 185
十九　公主珍萨拉的房里 …………………… 197
二十　携公主逃亡 …………………………… 209
二十一　归程 ………………………………… 220
二十二　真假泰山 …………………………… 230

一
水 鬼

位于乌戈戈河岸吃人的野人村——阿贝贝的村中,一间肮脏黑暗的小屋里,埃斯特本·米兰达蹲在地上,嘴里嚼着一块煮得半生不熟的肉。在他的脖子上套着一枚奴隶的铁环,连着一条有好几英尺长的生了锈的铁链,直通到门外一根牢牢埋在地里的桩子上。它靠近村街的进口,离阿贝贝的小屋并不太远。

一年来,埃斯特本·米兰达就这样被锁着,像一条狗。有时他爬出小屋门口他那座狗窝,到外面去晒晒太阳。他有两种活动,一种是坚持扮演人猿泰山——不知他从哪里知道,他的外貌和体型很像一个叫"人猿泰山"的人,他还知道这个"人猿泰山"是位英国贵族,他可以利用这一点给自己捞取些好处。由于长期扮演,他已经像一个好演员一样,有时深信自己就是这个人了。另一方面,因为村子里的巫师坚持认为他是一个水鬼,埃斯特本又得时时扮出几分神秘的水鬼样子。有了水鬼这个身份,巫师就要叫村民相信,与其得罪他,不如讨好他为好。

正是由于村长和巫师的这种意见分歧,才使埃斯特本·米兰达免于成为村子里肉锅中的美餐。村长阿贝贝想吃掉他,认为他是他的老仇人泰山(他也没有仔细观察过泰山,反正在他看来他们都是身材高大的白人),但是巫师却认为这个囚徒是水鬼伪装成的泰山,要是伤害了他灾难就会降临到村民头上,于是他正好借此来加深村民崇拜鬼神的思想。这两种争论使这个外来的白人活了下来,直到最后可以证明他是个什么为止。如果埃斯特本最终正常地死掉了,那他就是一个凡人肉胎,证明村长是正确的;要是他继续活下去,或者神秘地失踪了,那巫师的主张将被村民当作天神的福音接受下来。

自从埃斯特本逐渐懂得了阿贝贝村民的语言,明白了自己的处境之后,知道他的性命距离肉锅只有一步之遥,他就再也不坚持自己是人猿泰山了。相反他倒时不时地露出一点暗示,以证明自己确实无疑就是一个水鬼。这么一来,巫师高兴,村民也被愚弄了。只有村长阿贝贝例外,他是个老滑头,他从来就不信有什么水鬼。当然巫师也不是傻瓜,他也不信自己的鬼话,他不过是认为"水鬼"对于统治他的"教区居民"非常有利。

埃斯特本·米兰达的另一项活动,就是时不时把玩那只曾经被俄国人克赖斯基从泰山身边偷走的装满宝石的袋子。他杀死了克赖斯基以后,这袋子就当然地落入了他的手中,这可是一袋真正能引起人贪欲的东西。据说,这曾是一个老人在宝石塔楼的地窖里亲手交给泰山的,以报答泰山在钻石王宫里把他从勃勒冈尼(猿语,大猩猩)淫威下解救出来的恩情。

埃斯特本·米兰达每次总是长时间地坐在他那间光线暗淡的"狗窝"里,异常喜悦地抚摸着、数着那些光彩的石头。他上千次地随便拿起一块放在手里掂量着,计算着它的价值,估计它在世界各地的大城里,能给他买到多少好吃的肉食。尽管他现在住得脏兮兮的,吃着村民的脏手扔过来的一块块腐肉,而他却仍然有大财主一样的财富,而且他也确实像一个大财主一样生活在自己的想象中。在他心目中,这间幽暗的狗窝,由于有了这袋稀奇石头的光彩照耀,变成了一间华丽的宫殿。每当他听到有人走近的脚步声,他就赶快把这一块块神奇宝石连同小袋子一起收进他唯一的破短裤的裤裆里去,然后立刻又变成了食人村里的一个囚徒。

如今,在他被单独禁锢了一年之后,他又有了第三种娱乐,这和巫师卡米斯的小女儿妩娃有关。妩娃只有十四岁,长得很秀丽,天生有着一种好奇的性格。一年来,她一直从远处看着这个神秘的囚犯,最后克服了对他的恐惧,终于在他到外面晒太阳时,走到他跟前来。埃斯特本一直看着她胆小地一步步向他跟前蹭过来,对她鼓励地微笑着。他在村民中没有一个朋友。哪怕有一个朋友,他的生活也会安逸一些,可能离自由也更近一点。最后,妩娃终于走到他前面几步远处,停了下来。她天真里带有几分粗野,但毕竟是一个女孩子。而埃斯特本·米兰达对女孩子是颇为了解的。

"我在村长阿贝贝的村子里都快一年啦,"他吃力地用他学来的语言迟疑地说道,"从来也没猜到村子里有像你这么漂亮的一个女孩。你叫什么名字呀?"

妩娃听了高兴起来,她大胆地笑着说:"我是妩娃。"接着又告诉他,"我父亲是巫师卡米斯。"

现在轮到埃斯特本高兴了。似乎命运在冷淡了他许久之后,终于又对他仁慈起来,到底给他送来一粒经过耕耘便可以开出希望之花的种子。

"那么,为什么从前你不来看我?"埃斯特本问道。

"我害怕呀。"妩娃简单地回答道。

"为什么?"

"我害怕……"她吞吞吐吐地说不出来。

"害怕我是一个水鬼,会伤害你是不是?"这个西班牙白人笑着问道。

"是的。"她说。

"听着,"埃斯特本小声说,"但是不要告诉任何人。我就是一个水鬼,可是我绝不会伤害你。"

"你要是一个水鬼,为什么还会被铁链子锁着,拴在外面的柱子上?"妩娃好奇地问道,"你为什么不变成一条蛇啦,或别的什么东西,设法回到河里去?"

"你奇怪是不是?"米兰达拖延着时间问道,以便他可以编造出一个可信的理由。

"不光是妩娃觉得奇怪,"女孩子说,"最近好多人都这么怀疑过。阿贝贝村长头一个就这样怀疑过,可是没有人能解释得出来。所以阿贝贝说你就是泰山,是阿贝贝和他村民的敌人。但是我父亲卡米斯说你是水鬼,而且认为你要是想逃走,就会变成一条蛇,从你的脖圈里钻出去。村里人都怀疑,你为什么不这样做,因此他们开始认为你根本不是什么水鬼。"

"走近点,漂亮的小姑娘。"米兰达悄悄地说道,"我们说的话不要让别人听到。我只对你一个人说。"

小姑娘向前走了几步,来到米兰达蹲着的地方,向他弯过身来。

"我确实是水鬼,"埃斯特本说,"我想来就来,我想走也能走。晚上,当村里人都睡了的时候,我就到乌戈戈河上去游荡,白天我就回来。我在等,看看阿贝贝村子哪些是我的朋友,哪些是敌人。我早就知道阿贝贝不是我的朋友,可是我还不知道卡米斯是不是。要是卡米斯是我的朋友,他就该拿点好吃好喝的东西来。我是在等着看,村子里究竟有没有一个人能放我走。要是有这么一个人,那么我敢说他就走运了,他的每一个愿望都会得到满足,他能长寿,任何事水鬼都会帮忙。但是听着,妩娃,不许把我说的话告诉任何别的人,我还得再等一等,如果阿贝贝村里再没有这样的朋友,我就要回到乌戈戈河里我的父母那里去。同时要消灭阿贝贝村的人,让他们一个也活不下来。"

女孩子吓得向后退了好几步,显然这些话吓着她了。

"不要害怕,"他对她保证说,"我不会伤害你。"

"可是,你不是说要消灭这里所有的人吗?"她问道。

"那当然喽!"他回答说,"我没法帮你,不过让我们期待会有那么一个人来放开我,我就知道这里至少还有一个好朋友。现在你跑回去吧,妩娃!可是千万要记住,你不许把我的话告诉任何人。"

她向后跑了几步,又转身回来问道:"你什么时候毁灭村子?"

"没有几天了。"他回答说。

妩娃听了吓得打了个冷战,向她父亲巫师卡米斯的小屋飞跑而去。埃斯特本满意地笑了笑,然后爬回了他的牢房,玩他的宝石去了。

当妠娃跑回她父亲的小屋时,巫师卡米斯并不在家,连他妻子也不在。这时妠娃都快吓晕了,她一头钻进了屋子里。巫师的妻子正带着她的孩子们在村栅外的田野里干活,本来妠娃也该在那里。不过她这会儿正好有时间思考她听到的话,当然在她所听到的话中,印象最深的还是水鬼不许她把听到的话告诉别人!

妠娃经过认真思量之后,觉得不能不把水鬼的计划告诉父亲了。不然,将会有一个多么可怕的灾难降临到她和村民的头上啊!她一想到这会是一场她无法想象的厄运,她就不由得打起冷战来。可是,水鬼又命令她必须保守机密,她该怎么办呢?

她缩作一团躺在一张草编的席子上,用她可怜的、未开化的小脑瓜苦苦地搜索着,想找出一个什么好办法来解决她面临的难题。以前除了如何逃避连年累月不断重复着的田间苦工以外,她从来没想过别的事。忽然她一轱辘坐了起来,水鬼的话让她产生了一种无可置疑的刚强。她怎么刚才就没有想到呢?那水鬼不是说得清清楚楚吗?他反复地说,要是他能被放了,他至少知道阿贝贝的村子里还有朋友,他会让这个朋友长寿,并满足他的任何愿望,水鬼不就是这样说的吗?可是想了一阵之后,妠娃又有点沮丧。她,一个女孩子,怎么能独自一个人去完成让水鬼自由的计划呢?

当妠娃的父亲回到小屋之后,她就问:"爸爸,水鬼会用什么方法报复伤害他的人?"

"对他来说,这是非常容易的事,就像鱼在水里一样,办法多得很。"卡米斯回答说,"他会把鱼从河里赶跑,也能把猎物从丛林里驱散,让我们的庄稼死掉,然后我们就都会饿死。他还会从天上引来神火,在晚上把阿贝贝村的人都用雷电击死。"

"那么你认为他也会对我们这样做吗,爸爸?"妩娃追问道。

"他不会伤害卡米斯,因为我让他免于一死,而阿贝贝却一定会遭到灾祸的。"巫师回答道。

妩娃想起了水鬼抱怨卡米斯没给他弄去好吃好喝的。虽然她明白父亲对水鬼远没有他自夸的那么仁慈,但是她对此什么也没说,相反她却换了一个问题。

"水鬼脖子上套着牢实的铁圈,他怎么能逃跑呢?"她问道,"谁能给他打开?"

"除了阿贝贝以外,没人能打开它。阿贝贝带着的一个小袋子里装着的一个小铜片可以打开那个脖圈,"卡米斯一口气就说出了秘密,"可是水鬼用不着帮忙,到了他想走的时候,他就会变成一条蛇,从脖圈里钻出去。喂,你要到哪儿去,妩娃?"

妩娃听了卡米斯的话,更相信水鬼告诉她的秘密了。不过,她心里挺自豪地觉得她比卡米斯知道得还多一些。她已经另有打算了。

听到他父亲问,她转头说:"我要去找阿贝贝的女儿。"脚下却没有停步地跑开了。

村长的女儿正在磨玉米,这活儿妩娃也要干的。她看见妩娃走来,对她小心地说道:"不要大声,我父亲正在里面睡觉呢。"她用头向屋里的方向指了指。于是来访者,也就小心不出声地坐下来。两个女孩子就悄悄地聊起来,她们说起她们的装饰品,她们的头饰,还有村里的年轻人,说到他们,两个女孩子总是会发出银铃般咯咯的笑声。她们的谈话,跟别的地方或别的民族同龄女孩的谈话,并没有太大差异。在她们聊天的时候,妩娃的眼睛时不时向阿贝贝的屋门口瞟一眼,而且好多次她双眉紧锁到一起,在努力思考着与无聊的谈话毫不相关的重要事。

"到哪儿去了?"她终于最后试着提出了一个问题,"你的那根铜丝做的臂镯,就是上个月初,你叔叔给你的那根?"

阿贝贝的女儿撇了撇嘴说:"他又要回去了,给了他年轻妻子的妹妹了。"

妩娃听了显出失望的样子,这样是不是能表现出她羡慕那只臂镯?妩娃盯着她朋友的脸。她的双眉又紧锁起来,忽然,她的脸色又开朗起来。

"那只镶着许多宝石的项圈,你父亲从被我们吃掉的武士俘虏身上剥下来的那只呢?"妩娃继续追问道,"你没有弄丢吧?"

"没有,"她的朋友回答道,"它在我父亲的屋子里,我磨玉米的时候嫌它太碍事,所以我把它放在了那里。"

"我看看行吗?"她的朋友慨然地允诺了,妩娃听了心里都乐开了花,她马上说,"让我去替你拿来吧!"说着妩娃就要动身。

"不行,你要把我父亲阿贝贝吵醒,他可是要生气的。"村长的女儿阻止说。

"我不会吵醒他的。"妩娃边说边向小屋门口爬去。她怎么能轻易放过这样的好机会呢?

她的朋友还在后面想阻止她说:"我父亲一醒我就拿给你看。"

但是妩娃已经悄悄地爬进小屋里去了。进了屋子,妩娃静静地在黑暗里待了一小会儿,使她的视力能适应屋内的光亮。现在她看见在对面的墙边,阿贝贝四仰八叉地躺在一张睡席上,鼾声如雷地睡得正香。妩娃偷偷地向他爬去,像一头猎豹那样,脚步轻轻的,她的心却怦怦地跳个不停,像高潮的登登鼓舞的伴奏,她甚至怕自己的心跳声和急促的呼吸声会惊醒老村长。她甚至觉得这个阿贝贝比水鬼还可怕,但是阿贝贝现在睡得十分香甜,看来是不会轻易被吵醒的。

妩娃向阿贝贝爬去,现在她已经完全习惯了屋内暗淡的光线。就在阿贝贝的身边,她忽然看见了半压在老村长身子下面的那只袋子!她高兴地试着从老村长身下把它抽出来。正在这时,睡着的老村长翻转了一下身体,吓得妩娃赶快把手抽回来,准备返身向门口冲去。但是老天保佑,她还没有移动,老村长的鼾声又响起来了。然而妩娃这会儿的勇气被刚才的一吓几乎吓没了,她想还是在没被发现以前逃跑的好。就在她最后回头向老村长看了一眼的时候,她无意间发现,那只袋子正好完全露出在睡者的身后。阿贝贝一翻身已经完全离开了刚才压着的那只宝贝袋子。这可是天赐良机!

就在她的手伸过去要拿的时候,她又犹豫了。这时,她的心都快要从嘴里跳出来了。她又想起了水鬼说过的,在他力所能及的范围内要鼓捣出的可怕灾难。于是她又一次把手伸向那个袋子,一把抓住了它。她很快打开,向里面看去,一眼就认出了那个铜片,因为只有它才是这里面所有东西里她最不熟悉的。那个脖圈、锁链和这个小铜片,都是阿贝贝从一个被他杀死的阿拉伯奴隶贩子那里弄来的,这个阿拉伯人后来也被村里人吃掉了。据说村子里的几个老人也戴过这样的脖圈和链子,当然都是同样的缘故。

妮娃拿了那个铜片,很快又把袋子放回原处。然后满手都是汗地紧紧握住那个铜片向屋门爬去。

这天晚上当村子里的灶火都已熄灭,阿贝贝的村民都已回到他们自己屋里以后,埃斯特本·米兰达听到他的"狗窝"外有一阵轻轻走动的声音。然后,他觉得有人或什么东西爬了进来。

"谁?"这个白人用一种极力镇定的声音问道。

"嘘!"进来的人轻轻地说,"是我,妮娃,巫师的女儿,我是来让你自由的。那么你在阿贝贝村就会有一个朋友,你就不会把我们都毁灭掉了?"

米兰达微笑了,他的话到底发生了作用,他的良苦用心终于结出果子来了。而且,希望来得这样快,简直出乎他的意料。显然这孩子也没有把他的话告诉别人。在这件事情上,他的判断却是错误的。但无论怎么说,他生存的唯一目的,获得自由,终于就要实现了!他本来是想,用警告的方法刺激这个女孩子,使他那些可怕的话可以传到某个笃信鬼神的人的耳朵里,现在却是这个小女孩自己来了。

"你怎么放开我呢?"米兰达问道。

"看!"妮娃高兴地轻声说,"我拿来你脖圈上的钥匙。"

"好极了,它在哪儿?"这个白人说。

妮娃向前爬了几步,把钥匙交给了"水鬼",转身就要跑。

"等一等,"那个囚徒说,"当我打开脖圈以后,你还要把我领出村子,到丛林里去。谁要是想完全得到水鬼的满意的话,这也是必须做的。”

妩娃怕起来，但是她不敢违背这个要求。米兰达摸索着妩娃给他的钥匙，打开了那个几乎已经锈死了的脖锁。然后带着那把钥匙向门口爬去。

“去给我弄几件武器来！”他小声地对妩娃说。这个女孩悄悄地消失在黑暗中。米兰达知道她很害怕，但是相信她肯定会听他的话。果然，没过几分钟，妩娃就带回来一袋子箭，一张弓和一把刀。

“现在领我到大门那儿去！”埃斯特本命令说。

妩娃只好领着这个逃亡者一直躲开村里的大街，小心地绕过一座座小屋的背后，他们终于来到大门跟前。这多少使妩娃有点惊讶，一个水鬼怎么会不知道大门怎么走？妩娃心里原来认为水鬼一定是很聪明的。而且他也对妩娃说过，到了晚上他就到河里去了，不是吗？尽管如此，妩娃还是领他走到大门那里，告诉他大门如何打开，还帮他把大门推开，让他能挤出去。大门外面现在是一片延伸到河岸的空地，在它两边都是黑黢黢的丛林。埃斯特本这会儿突然害怕起来，眼前的自由，却面临着无边的黑暗，让他一个人走进这一片片丛林，使他产生一种无名的恐惧。

妩娃现在要回村里去了。她高兴地想到，她到底可以使村里人免于毁灭了，她做了自己该做的事。现在她准备关上大门，很快回到她父亲的小屋里去，在那里激动地等待着黎明的到来。到天亮时村里人发现水鬼已经逃走了，不知该怎样吃惊呢！

就在这时，埃斯特本忽然伸出手抓住了她的胳膊说。

“走，拿你的报酬去。”他说。

妩娃猛地向后缩了一下,说:"让我走,我害怕。"

可是,埃斯特本也一样害怕。他断定让这个黑女孩给自己做伴,总比一个人在丛林深处乱撞的好。也许天亮了再让她回去也行,可是在这样的黑夜里到丛林中去,他却感到混身都在打战。

妩娃拼命想挣脱她的胳膊,活像一头小狮子那样凶猛,而且后来还提高了嗓门大喊起来。埃斯特本只好用手把她的嘴牢牢地捂住,一下子把她甩到肩上,扛起来就跑,很快穿过开阔地逃进丛林。

在他们的后面,阿贝贝村子里的武士们却正睡得香甜,对小妩娃的未来将会出现怎样的悲剧一无所知,甚至也不了解小妩娃正是为了大家的安全才相信了水鬼的瞎话。

这时丛林里正传出一声饥饿的狮吼。

二
飞行遇险

在非洲格雷斯托克爵士庄园的屋子前面,有三个人正在那里谈话,他们边谈边走向大门口。在他们经过的小径两边,玫瑰花正盛开,浓郁的花香,向周围散发着。爵士的这座庄园是在被德军焚烧之后,重新建起来的,这次重建比过去俭朴,只有一层楼。这三个人中,有两个是男人,一个是女人。他们都穿着极朴素的茶色布质衣服,其中年纪比较大的那个人,手中握着一顶飞行用的帽子,还有一副飞行时保护眼睛用的眼镜。他默默地含笑听着年轻人的谈话。

那年轻人说:"我想,妈妈不在这儿,爸爸一定是感到寂寞了,如果妈妈在,你是不会想做这件事的。而且,我总觉得,妈妈如果在这儿,她也是不会赞成你这样冒险的。"

原来那个上了年纪的人,就是我们书中的主人公——人猿泰山。这时,他听了年轻人的话之后,缓缓地说:"杰克,我的孩子!你的话也许不错。可是,我做独自飞行,恐怕也只有这一次机会了!以后,即使她没回来,我也不打算再飞了。飞行是你教我的,你不是也说过,我是一个聪明的学生吗?其实,你明明知道我已经有了独立飞行的能力,那你就该十分相信我才对啊!梅林!

你说我这话对不对？"他边走着，边转过身来问那年轻的女人。

梅林听了泰山的问话，没有马上回答，沉默了一会儿，轻轻地摇了摇头说："不，爸爸。我的想法倒是和我亲爱的丈夫一样，真的有点替您担心。您一直不服老，总是过高估计自己的体力，事实上，您毕竟上了年纪，去冒独自飞行的危险，确实应该格外小心呢！"

杰克把胳膊放在梅林的肩上说："爸爸，梅林说得不错，我也这么想，你真的要格外小心！"

泰山听了儿子和儿媳的话，慈祥地笑着，耸了耸肩说："假如是你或你的母亲，到了我这把年纪，恐怕已经衰老了。老天既然赋予了我这副好身板，我就应该好好使用它。"

这时，有一个男孩，从庄园里跑出来，他的身后还有一个保姆在追他，他一直跑到梅林跟前才止住步。他用法语高声喊着说："妈妈，你到哪里去？你和爸爸、爷爷他们到哪里去？"

泰山看到了孩子，就说："看看，我可爱的小孙子也来了，叫他也一同到飞机那里去吧！"

那孩子高兴地欢呼着："好玩呀。"又回头对保姆说，"我跟爷爷去玩了，你先回去吧。"

从庄园门外直到丛林边上，这中间是一片平原，飞机就停在这片平原的西北方。远远望去，在飞机旁，还站着两个瓦齐里武士，他们都受过泰山之子杰克的训练，学会了修理飞机的技术，到后来，他们甚至也能单独驾驶了。泰山虽然也学会了驾驶，但到底年龄大了，技术并不怎样熟练，但他好强好胜的心，一如当年，自己手下的瓦齐里武士都能飞行了，而自己却不敢单独飞行,这怎么说得过去呢?于是泰山戴起了飞行帽和护目眼镜,登上了飞机。

杰克急切地劝告说:"爸爸,还是让我和你一同去吧!"

泰山摇摇头,温厚地笑了笑。

杰克又说:"那么就带一个小伙子去吧!万一你飞到空中,机器发生了故障,强迫你非降落不可,那时你身边没有个机械师,你可怎么办哪?"

泰山用很肯定的语气说:"我可以步行回来。"说完,又转头对一个黑武士说,"安多,你把飞机发动起来吧。"

过了一会儿,飞机发出隆隆声,很平稳地从地面上升起来了,在空中盘旋了几个圈,越飞越高,循着航线迅速前进。在地面上的几个人,仰着头,目送着飞机远去,渐渐地成了个小黑点,直到最后看不见了。三个人默默无语地往回走,杰克和梅林都有点不放心。

还是梅林先打破沉默说:"你估计他会往哪里飞?"

杰克摇了摇头,边思索着边回答说:"他这是第一次单独飞行,我看他好像是漫无目的的,也许,绕几圈就回来,但就他素来好胜的性格,也有可能飞到伦敦去看妈妈。他想做的事,谁也拦不住。"

梅林听了这话,吃惊地喊着说:"什么?他一个人飞到伦敦去?这是万万不行的呀。"

杰克说:"我当然也知道,那样一架比较简单的飞机,即使比他经验丰富的人,要飞到伦敦去,也是办不到的。可是你也不要忘了,父亲不是一个普通人啊!"

泰山在飞机上,大约飞了一个半小时,既没有改变过方向,也没有计算飞行时间,连他自己也不知道飞出有多远了。他心里暗想,驾驶飞机原来也并不是多难的事。他带着喜悦的心情,觉得自己又增加了一种新本领。他像飞鸟一样,在空中自由翱翔,心里充满了自豪感,低头看看自己心爱的丛林、大地,一切都在脚下了。平时,曾经羡慕鸟儿,现在可以不必了。

这时,在前面,他看见了一大片广阔的盆地,也可以说是一连串的盆地连在一起,四周有苍翠的小山。他又往这片盆地的左边看了看,他认出左边那条河流是乌戈戈河,但是这一片盆地,他却觉得很陌生,这到底是什么地方呢?他似乎有点糊涂了。这时,他才忽然想起了飞行距离,他估计,离家恐怕有一百多英里了,觉得应该往回飞了,但是,下面这片神秘的盆地,到底是什么地方呢?好奇心又吸引住了他,他想不如看个清楚,再飞回家去。于是,他把飞机降低些,打算更近地仔细审视这个所在。这一串盆地,好像是早已熄灭的浅火山口。这里有树林、湖泊和河流,是他从来没有发现过的。他又盘旋了几圈,终于辨别出来,原来这地方就是大荆棘林。他原先知道,在这一片大荆棘林中有一片广大的区域,但是由于荆棘丛生,只有小的野兽在这里进出。他向底下仔细望去,果然发现了一条羊肠小道环绕着这片神秘的平原,四围都是密密的荆棘,所以这片神秘的土地久不为外人所知。

泰山决心环绕着这片长期隐秘的地带再飞一圈,然后返回。他有意将机身降低些,使它更接近地面。这下,他看得更清楚了,下面就是一座大树林,树林的旁边是一片草原,一直延伸到山脚下,还能隐约望见有一条崎岖的小路,通往山上。他出神地望着这块陌生的地方,在不知不觉当中,他把飞机降得更低了。可是当他发觉已经降得太低,有可能发生危险时,他有点心慌,来不及控制飞机了。机身终于碰到了一株高树的树梢,转侧了一下,跌到地面上去了,发出了很大的声音,树枝的折断声,飞机的坠毁声,都一齐响起来,这声音简直是惊天动地。过了一阵之后,树林又归于平静了。

在树林中古老的小道上,有一个身躯巨大的生物在走动着。看这个生物的身体结构,显然是人类,但又有点不像人类。倒好像是个什么巨兽在用两个后脚直立着走路。仔细看,能看出她是个女性,在她的一只手里还拿着一根木棍,看得出来,拿木棍的那只手十分坚实有力。她长着很长的头发,乱蓬蓬地披在两肩上,并没有加以梳理。她的胸前、臂上和腿上,都有一层毛茸茸的短毛,在文明社会里,只有男人的胸前和腿上,才会有这么重的汗毛。在她腰间围着一块兽皮,用绳子从外面束着,还有几根用兽皮割成的条带垂在围腰的那块皮下面。在每根皮条的下端,都系着一块圆形的石子,系石子的地方还插着几根小羽毛,色彩鲜艳,远看像在裙边摇荡着的一圈穗子。这些系石子的皮绳上端都结在腰带上,每隔一两寸就结着一条,每根有十几英寸长,团团地围着腰一圈,下端及膝。这女人的脚完全裸露,身上的皮肤原来似乎是白色的,久经风吹日晒,都已变成了浅褐色。她身高似有一米八九,两肩很宽,胳膊上的肌肉非常发达有力。她脸庞宽大,大鼻子,嘴唇既阔且厚,深藏在浓密的眉毛底下的眼睛配在这副面容上显得很小,最奇特的是,她走路时,两只大耳朵竟会掀动着,这一点,倒有点像猪。有的时候,她身体某一部位的肌肉,会像牛和马在赶走自己身上的苍蝇时的动作一样抖动几下,这是人类没有的动作。她走路虽是大步流星,但脚步很轻,目光闪闪,不断向四周看着,警惕性非常高,看样子,她时刻警戒着随时可能出现的敌人。

忽然,她站住了,拼命掀着耳朵,鼓着鼻翼,向四面嗅着,在捕捉什么不同寻常的气味和声音。附近一定有什么东西引起了她的注意。她在小道上俯身下来,匍伏前进,循着气味转了一个弯,果然,她发现前面有一个人,俯着身子躺在小道上。原来这就是从飞机上掉下来、摔晕了的人猿泰山。在他的头顶和身旁纵横着大树的枝杈,断枝上还挂着坠毁了的飞机残片。

这女人发现前面躺着一个人,手里的木棍握得更紧了,慢慢向前爬去。她看了看,这是个陌生人,脸上不觉露出惊奇的神色来。在她简单的头脑中,只觉得十分意外,但并没感到害怕。她看躺着的人始终不动,胆子渐渐大起来,就站起身子走过去。走到泰山躺着的地方,举起木棍就准备打下去,忽然,她像想起了什么,又停了手。她见他还不动,就跪在他身旁,仔细翻看着他的衣服。后来她把他翻了过来,使泰山面朝上躺着,她把耳朵贴在他胸口上去听,觉得隔着衣服听不清楚,就在他的外衣前面,乱翻了一阵,她似乎不懂应该怎样解开衣服,后来索性用铁爪一般的手指,撕破了他的外衣,附耳到他胸前去听,听到他的心脏还在跳,知道他并没有死。她站起来向四周张望了一下,又听又嗅了一阵,然后,她就把泰山拖起来,扛在肩上。她做这些事似乎轻而易举,就这样扛着泰山,朝她原来前进的方向走去了。在这条弯弯曲曲的小道上,穿过树林,走出树木覆盖的浓荫,走到了一片广阔的大平原上,平原的尽头,就是石山脚下了。她走过平原,来到山脚下的一个谷口,这个山谷的形势是天然生成的,却比人工开凿的好得多,非常巧妙地遮蔽了谷内的一切。进了山谷之后,有一条用圆圆的鹅卵石镶成的小路。于是她扛着泰山,顺着这条石子路,向山谷深处走去。

大概走了有半英里,到了一个椭圆形的石洞前,附近陡峭的石壁上还有几个洞口,洞外,坐着几个和她一样装束的女人,都瞪着惊奇的眼睛看着她。

当这个女人走近洞口时,她们都不约而同地凝视着女人肩上扛着的东西。这些女人的衣着都和进来的女人一样,只是体魄强健的程度不如她。普通女子都是喜欢叽叽喳喳尖声说话的,可是这些女人不同,她们不但不说话,连任何声音都不出。进洞的那个女人也同样闷声不响,只管扛着泰山向某个洞口走。但她手中的木棍,却不停地左右挥舞着,全神贯注地注视着同伴们的动静。

她就这样走了一段,当她走近一个洞口时——这里似乎是她的目的地了——忽然,一个女人从她背后尾随追来,只见她飞奔上前,一把就抓住了泰山。这个女人虽然不是很健壮,但动作却敏捷得像猫一样。那个扛泰山进来的女人马上转过身来,举起木棍向跑过来的女人打去,那女人不是她的对手,被打中头,倒了下去。这女人打倒了一个,为了防备其他人再来抢,索性把泰山放在地上,自己的两只脚跨站在泰山身体两边,不时地用脚拨弄一下泰山,就像一头母狮在玩弄着一个小动物一样。同时她手里轻便地舞弄着木棍。这些动作显然是在示威,是在告诉她的同伴,谁敢再上来抢夺她的猎物,谁就会同样遭到她的棒击。那些女人看了这个阵势,都各自退回自己的洞口,听任那个被打倒的同伴躺在晒热的沙土地上。

第一个女人得胜了，就又扛起泰山，走进她自己的洞里，然后把泰山放在洞口边的阴暗处。她坐在他的身边，面向着洞口，警戒着外面的动静，看是否还有人来争夺。同时，她俯下身去，仔细观察着这个扛回来的陌生人。泰山的衣着引起了她的好奇，她从来没见过纽扣，费了很大劲才解开了泰山所有的衣服。尤其是脚上那双笨重的靴子，她简直使出了吃奶的劲，把它扯破了才算脱下来。这使得她有些发怒了。

一切衣物都脱掉之后，她看见泰山项上有一条黄色发光的链子，链上系着一个镶钻石的小金盒，原来这是泰山母亲的遗物。她反复看了看，似乎觉得没什么稀罕，就让它依然留在泰山的颈项上。

她又凝视了泰山好久，然后站起身来，再次把他扛起，向石洞的中间走去。石洞里面由一间间的矮屋组成。这些矮屋都是由石块砌成，把石板埋在地里，让它稳稳地立住，就是墙壁，然后再用平石板盖在上面，就算是屋顶了。沿着洞内壁的一圈都是这样的矮屋，一间挨着一间，形成了一个椭圆形，中间留有一块空地，好像是庭院。每间矮屋的门口都有当门用的两块石板，其中一块直立在地上，正好遮住门口，另外一块斜倚在第一块的外面，把第一块撑住。这样，即使有外力撞了门也不至于倒下。

女人扛着泰山来到一座矮屋门前，把泰山放在地上，移去当作门用的两块石板，把泰山拖进矮屋，平放在地上，拍了三下巴掌，六七个小孩立刻跑进屋里。那些孩子大的有十六七岁，小的也就一两岁。但奇怪的是，就连那最小的孩子走路都十分稳当而迅速，一点也没有普通小孩摇摇晃晃的步态。那些小女孩手里拿着木棍,男孩子赤手空拳。这群孩子进来之后,女人用手指指泰山,又用拳头打着自己的脑袋,之后用大拇指在自己的胸前按了几下,又用手做了另外几种手势。那群孩子似乎懂得了她的意思,女人就转身出去了,仍用石板遮好门,向另一个洞走去,看也不看那个被她打晕的女人。那被打的女人,刚才是头部受了重击,昏厥过去了,现在正在慢慢醒来。不一会儿,从谷口又走进一个女人来。这女人生得十分魁梧,比扛泰山的那个女人还要健壮。那个女人的左肩上扛着一头死羚羊,右肩上还扛着一个半人半兽的东西,一时看不清到底是什么。

她肩上的羚羊显然是死了,但右肩上那个生物还在慢慢蠕动,看得出来生命力已非常微弱。他腹部横担在女人肩上,两只手软弱无力地在女人身前摇晃。

方才扛泰山进来的女人马上站了起来。我们为了叙述的便利,暂且称她为"第一个女人",因为她们本来就没有名字,在她们简单的头脑中从来也不懂得什么叫名字,所以我们不妨把被打晕的女人称为"第二个女人",刚进来的这个我们叫她"第三个女人"。

当第一个女人站起来时,她的眼睛紧盯着第三个女人,两只大耳朵也掀动着。接着,第二个女人也站起来了,另外的那些女人,也陆续地站了起来,一齐望着第三个女人,对她肩上扛着的东西,都有觊觎之意。只因为第三个女人比她们都高大结实,她们才没敢轻易上前动手。过了一会儿,第一个女人首先行动了,她忽然抢前一步,这不啻给了大家一个鼓励。那第二个女人也有所表示了,她先指了指自己,又指了指第一个女人,然后又指了指第三个女人,那意思是:我们两个人一块儿对付她如何?这时候第三个女人似乎也有所觉察了,只见她加快了脚步,向自己的洞口走去。第一、二个女人彼此会意,第一个女人也跟着加快了脚步。原来,她们这个野蛮的民族从来就没有过语言,任何人的嘴里,连声音都没发出来过,而且,她们也是不会笑的。

　　第一、第二两个女人,一齐紧紧追上来,惹得第三个女人发怒了,她把肩上的东西放在脚边的土墩上,轻装上阵,手握木棍,准备应战。那追上来的两个女人,也握紧手中的武器,作出进攻的姿态。旁边的女人都两手叉着腰旁观。原来她们这里,有一种相传下来的习惯,抢东西或抢食物,要看人数和份数。第三个女人扛着两件东西,第一、二两个女人去抢,人数刚刚合适,所以别的人就不便再去参加了。这正好像刚才第一个女人扛着泰山进来时一样,猎物只有一个,第二个女人已经上前抢夺了,别人也就不再动手。现在第三个女人扛着两件东西,有两个女人上前动手,其他人虽然很眼馋,但按规矩,她们也只能眼巴巴地看着了。

　　三个女人终于扑打在一起。看那形势,第三个女人虽然身大力不亏,但一时间双拳难敌四手,不过她的战术似乎比较高明,招架住了两个人打来的木棍。后来她竟越战越勇,很迅速地一棍打过去,第一个女人头上重重地挨了一下,头被打碎,倒地而亡。

　　两个敌手既然死了一个,第三个女人就专心对付第二个女人了。第二个女人见第一个女人死得那么惨,勇气吓掉了一半,她明知道自己一个人绝不是第三个女人的对手,还是别吃眼前亏为好,于是她自动退出,逃回自己的洞里去了。这时,第三个女人扛进来的那个奄奄一息的生物伏在羚羊的尸体旁边,看见三个女人打了起来,认为这正是自己逃走的好机会,便偷偷地向谷口方向爬去。如果她们的厮打再延长一会儿的话,他一定可以顺利地逃走。没想到第三个女人战术高明,没用多长时间,已经使敌手一死一逃,回头看见这生物企图逃跑,就像飞一样地追了过来。可是当她去追赶那生物时,第二个女人见有机可乘,马上掉转身来抢那只羚羊。第三个女人听到后面的脚步声,又来护那羚羊时,那生物终于逃到了山谷的进口处,向那条小道上飞奔而去。

那生物逃出了一段路,觉得已经安全的时候,才站定了。这个时候才看清楚,他原来是个男人。他的样貌和那些奇怪的女人们大致一样,只是比她们矮小。嘴唇上边和下巴上,都长着一撮胡须,额角的发际比那些女人还要低,而且很平很平。两只眼睛的距离,非常之近,两条腿比那些女人们要细得多,显然,他的体力远不如那些女人们,但他走路却很快。现在他是在飞奔逃命,那些身体笨重的女人当然追不上他。第三个女人见到手的战利品跑了,当然不甘心,她解下腰间拴着石子的一根皮绳,把皮绳在手里抡圆了,向那男人打去,果然被她打中了脑后,他一下子就晕倒在地上。第二个女人此时已把死羚羊抢到手中,第三个女人舞着手中的木棍直扑对方,第二个女人不肯放弃羚羊,也只好鼓起勇气,握着木棍迎战。她不是第三个女人的对手,木棍脱手,还没来得及解下腰间的飞石,就被第三个女人在头上猛击一棍,也像第一个女人一样马上死了。

第三个女人踌躇满志地向四面望了一下,那神情仿佛是在说:"看谁还敢再来夺我的羚羊和男人!如果有胆大的,尽管来试试,咱们交交手看!"这时,已经没有任何人再敢向她挑战了,于是她走到那个失去知觉的男人跟前,踢了他两脚,见他仍不醒,就用手去摇他。后来,他醒过来了,想挣扎着站起身来,可是软弱无力,站不起来,于是那女人又把他扛在肩上,顺手把羚羊也捡起来。到了洞里,她把人和羊都放在地上,坐在洞口生起火来。她生火的方法很特别,不是凭空架柴,而是用一段空心的木头当炉灶,等炉子上的火燃旺了,就把羚羊肉烤来吃。那男人呆坐在旁边,看着她吃羊肉,不敢动,也不敢向她要。后来,他闻到羊肉发出阵阵的香味,实在忍不住了,就用手指了指羊肉,意思是他也想吃。那女人就给了他一把石刀,用手势告诉他,允许他也吃。她自己割肉,也是用这把石刀。那男人马上领会了她的意思,接过石刀,就割下羊肉大嚼起来,那样子像好久没吃过东西似的。其实这时的羊肉刚烤到半熟,他贪婪地吞咽着,吃得津津有味。那女人把刀给了男人,自己就用手撕来吃,她吃得非常快,一会儿就吃饱了。她坐在男人的对面,端详着他,他的面貌确实难看,她却认为还看得过眼。他虽然没有穿什么衣服,只围着一块破烂的兽皮,但是手臂和腿上,却还戴着镯子和脚链之类。颈项上还有一串项链,是用兽牙和石块连缀而成的。头发在额头上方端端正正绾了一个髻,髻的上面插着几根长短不一的木针。

等他吃完之后,那女人站起身来,抓住他头上的髻,要把他拖进洞的深处。这时男人吃饱了,有了力气,于是开始反抗,他抓着她,咬着她,想要逃出去。但女人的力量比他大得多,他怎么也挣不出她的手去。

第一个女人和第二个女人的尸体,就倒在石洞外的地上,在她们尸体的周围,黑压压地围上了一大片秃鹫。这种猛禽是专吃腐肉的,只要有尸体的地方,这群贪婪而凶猛的东西,很快就会赶到。

三
逃出阿拉里

泰山被扔在昏暗的石屋里,立刻就成为那几个阿拉里族孩子们的兴趣中心。他们惊奇地凝视着他,有的用脚踢他,有的把他的胳膊或腿提起来,再摔到地下,几个孩子七手八脚,几乎都拿他当了玩具。有一个男孩子发现了泰山颈项上的金盒,就把它取下来挂到了自己的脖子上,连蹦带跳地,觉得非常好玩。阿拉里族人本来是低智的一个种族,他们的注意力是不能持久的。过了一会儿,他们就不再对泰山感兴趣了,一齐走到石屋外那块庭院式的空地上去,这时正有阳光照到那里。泰山静静地一个人躺在石屋里,慢慢苏醒过来。他这次坠机,幸亏被树枝和树杈挡了一下,没有生命危险,也没受太重的伤。当那几个阿拉里孩子离开他时,他已经能睁开眼了。他试着动了动,只感到周身无力。他向四周打量了一下,就又闭上了眼睛。渐渐的,他的呼吸已经恢复正常。等他再睁开眼睛时,好像甜甜地睡了一觉之后刚刚醒来一样,只记得自己跌了一下,头还有些痛。

泰山慢慢坐起身来,扫视着四周。石屋里光线很暗,他的目光渐渐习惯了黑暗,能够看清楚东西了。他站起来走出石屋,感到有新鲜空气流进来,也有一点阳光了,回头看看那两间石屋里只堆着一些枯草,并没有什么日用的家具。看这样子,不像是人类居住的地方。从这里再往远处望去,外面有一块小小的庭院,几个阿拉里族的孩子,有的坐在日光下,有的坐在阴凉处。泰山非常惊奇地看着他们,心里暗暗纳闷,这群和平常人类长得不一样的孩子,他们是什么人?这里是什么地方呢?看看洞里一间挨一间的矮石屋,难道这是监狱吗?那么,这群孩子究竟是看守监狱的人?或者也是犯人?他想不起来自己是怎么到这里来的。

泰山沉思了一会儿,又摸了摸头上的疼痛处,记忆里仍是一片茫然,什么都想不起来。他在石屋前站了很久,那些孩子却没有发现泰山已经从石屋里出来了,更不知道泰山正好奇地注视着他们。后来,泰山索性走到庭院中来,好像一头雄狮,面对着几只小豺狼一样。

正在玩耍的阿拉里孩子们,忽然抬头看见了泰山,吃了一惊,继而都跳起身来,包围了他。女孩子似乎更大胆些,把男孩子们推到一边,勇敢地走近泰山。泰山设法用语言和他们交流,首先用非洲土人的语言,看看他们的样子,似乎不懂,于是又换用另外一种,最后泰山用了猿语,甚至用了童年时代喀却克族母猿卡拉教他的语言,孩子们始终不答话,直到泰山再也没有语言可用。那些孩子始终没有说话,他们只做了一些动作,有的挥挥手,有的耸耸肩,有的摇着头或摇着身体。泰山虽然猜出他们这些动作也许就是表达某种意思的语言,可是他非常奇怪,他们为什么没有发声的能力呢?双方就这样哑然相对了一阵,过了一小会儿,孩子们又都走开了,回到石屋的墙壁前,坐到地上。泰山一个人留在庭院中,走来走去,他发现墙并不高,如果越墙逃走,该不会有什么困难,他只要一纵身,就可以攀上墙头。他打定了这个主意之后,觉得最好还是不要马上付诸行动,等天黑了更保险些。后来,天色渐渐黑了,可那几个孩子,却不知为什么坐不住了。他们都到庭院里,不安地走过来又走过去,有时还走到洞口倾听着什么。后来有一个孩子,开始使劲地用脚跺地,其他的孩子也跟着跺起来。他们都赤着脚,跺地的声音很重很响,渐渐地变得有节奏的声音,使得墙外的人,即使隔着几间屋子也能听见。

他们虽然跺得很起劲,而且时间也不短了,可是没看到有什么效果。一个女孩子丑陋的脸上甚至露出了生气的样子。她用木棍用力地打着墙壁,其他女孩子也学着她的样儿敲打起来。男孩子们手里没有武器,仍旧用光脚跺着地。泰山看了半天始终不明白他们要干什么。后来,泰山觉得自己肚子饿了,才联想到他们恐怕也是饿了,才弄出这种声音,可能是叫人给他们送食物来。他们不会发声,没有语言,刚才对泰山的问话一字不答,现在饿了,大概也只有用这种办法表示。

那个开始用棍子打墙的女孩子忽然停止了敲打,用手指了指泰山。其他的孩子望望泰山,又望望这个女孩子,只见她指指木棍,又指指泰山,跟着又做了好几个手势。虽然她的手势很简单,也很快,但依然很明确地表达了意思,她的意思是叫大家用棍子打死泰山,当作食物。当她把手势语做完了的时候,就率领着五个孩子,全力向泰山进攻了,他们都用饥饿的眼睛看着泰山。原来死去了的第一个女人,就是这群孩子的母亲,他们并不知道母亲死了,只是觉得肚子饿了,才想起母亲有半天多没给他们吃过东西了。他们这个民族虽然野蛮,可从来没吃过人肉。现在这群孩子实在挨不过饥饿,才忽然想到了这个办法。因为这些孩子没有把泰山看成是他们同一种族的人。往日,母亲总是捕捉些别的生物给他们当肉吃,他们很自然地把泰山也看作一种生物,当然也可以像杀一只羚羊来充饥一样杀掉泰山,在他们看来,这二者似乎没有什么不同。所以那个女孩子,非常自然地想到了这一点,于是她就作出了这个提议。

原来第一个女人把泰山扛回来,是想拿他当配偶用的。她们这个种族的女人已经成了一种习惯,到了一定的季节,她们就到树林里去随便捉一个男人来当丈夫。那些自幼养成怯懦性格的男人们都躲在树林里,宁愿过着独身的生活,也不愿回到石屋里来和女人住在一起。即使每次被捉到石屋中来,勉强同居几个星期,最终还是要找个机会逃走,因为他们不愿受女人的虐待。不但女人,就连女人从前生的儿女,也会欺侮他们。总之,男人们谁都怕被捉进石屋里来,只要一进石屋,他们就成了受气包。

即使被捉来的男人逃走了,女人也并不介意,因为她们可以在下个季节再去捉一个新丈夫回来,这样总比长期供养一个俘虏在家当丈夫要省事得多。在他们这个种族里,男女的结合,绝对没有什么爱情可言,只是一种自然的需求、种族延续的需求罢了。在这里,孩子们是从来不认识他们的生身父亲的,他们小时只依赖母亲,受母亲的管束,几个月的哺乳期,当然要在母亲怀里,就是断奶之后,食物的供给,他们还是要仰赖母亲。直到他们有了自立的能力,能够自己到树林里猎捕食物了,这时子女对母亲的依赖才算结束。

就一般的情形而言,男孩子到了十五岁至十七岁之间,就可以自由进入丛林,自己寻找食物了。从此以后,他们仿佛就和母亲脱离了母子关系,母亲也不再把他们当作亲生儿子看待。但同样年纪的女孩却要留在洞里和母亲共同生活、共同打猎。直到她们捉了第一个丈夫回来,才不再跟母亲同住。从此之后,她们可以各自挟持着自己的丈夫,各立门户,住到自己的石屋中去,母女关系也从此断绝了。到了季节,也有可能为了争夺一个男人,母女间互相打起来,因此而打死人的事,竟也会发生呢。

建筑洞窟和建造石屋,是用来让丈夫和孩子居住的,这些工程都由女人亲自动手。因为如果让男人当建筑工人,更便于他们找机会逃走。儿女们在旁边虽然能帮一点忙,但毕竟他们力气不大,重活还是得由女人担任。好在她们的体力都远远超过男人,掘石运石不在话下。

其实,洞窟和石屋,也不必建得很多,因为阿拉里族女人的死亡率很高,剩下来的石屋,足够那些成年的女孩子住。她们之间嫉妒心特别重,常因械斗而有伤亡。有时,也会发生另一种情况,就是捉来的男人,实在不甘愿受她们的虐待,为了获取自由把她们杀死。

阿拉里的女人们之所以过着这种野蛮而又令人憎恶的生活,就是由于她们性生活反常所产生的结果。我们正常人,男子常常是爱的主动者,而女子往往因男子有显著的事业成就,或有高贵的身份地位,因而爱慕他。由于有了爱情,然后成婚。但阿拉里的女人们,对于男人,不但谈不上爱情,对他们反而像对奴隶一样的暴虐,男人们对这种猛兽般的女人,也没有爱情,只有恐惧和愤恨，所以他们宁愿逃入丛林，过独身而又漂泊的生活，也不愿意和这些女人在一起，有个固定的住所。而这些女人也像兽类一样，到一定的发情季节，到树林里去捉男人，不管他们愿意不愿意，强迫他们做自己的短期丈夫。

现在站在泰山面前的这几个孩子，就是这种荒谬生活的产物，他们没有正常人的头脑，生活中的一切，都受天然欲望的驱使，所以他们想吃泰山来充饥。男孩子们没有参与进攻，只是忙着从一间石屋中，搬燃料出来。三个女孩子，其中一个大约只有七岁光景，却毫无畏惧地高举木棍，向泰山走来。男孩子们却只管生火，等着女孩子把泰山打死，然后用火烤熟了大吃一顿，就像吃他们的母亲每次带回来的猎物一样。

其中一个男孩子约有十五六岁，是群中最大的一个，忽然向后退着，用头、手和身体的动作显示出一种很兴奋的姿态，好像要劝阻那三个女孩子不要这样做，同时也要求另外两个男孩子从这件事里退出来。但另外两个男孩子却没听他的，只看了那三个女孩子一眼，仍旧继续做烧烤的准备。开始，泰山并没想要打他们，可是后来被形势所迫，只能准备自卫了，他挺身站在那里，观察机会。那三个女孩子一拥而上，举起木棍向泰山打去。还没等泰山还手，那最大的男孩，已经从腰间解下一块石子，向三个女孩子掷去，立刻有两个女孩子被击倒了，啼哭起来。还剩下一个女孩子没有被打中，她不但没有害怕，反而大怒起来，举手一棍，正好打在旁边一个男孩子的太阳穴上，立刻就把他打死了。而这个男孩子，正是偷走泰山金盒的那一个。他在这一群里是最胆小的，当他看见泰山醒来的时候，始终用手捂住金盒，一直也没放开过。

这个年纪较大的女孩,打死男孩之后,勇气好像更振作起来了,她还要去攻击那个扔石子的男孩。这时她脸上的神情非常凶恶可怕,看得出她是拿出拼命的劲头来了。那个大男孩又向她投了一块石子,然后转身跑到泰山身边。他这样跑过来,到底是什么意思,连他自己也弄不清楚。他和泰山都是男性,好像也是出于一时的本能和冲动吧?他跑过去之后,紧贴在泰山身边,寸步不离。三个女孩子中两个被打伤了,剩下的这一个女孩子知道自己已经孤立,就做手势示意那个跑到泰山身边的男孩,要他服从她,但他没有理睬,稳稳地站在泰山身边,一动都没动。

泰山拍着那男孩子的背,笑了一笑。那男孩子却露出了牙齿,显出凶悍的样子,但泰山看得出来他并无恶意,他终于明白了这个民族是不会笑的,男孩子原来是用这个动作来回答泰山的一笑。这时那女孩子,尽管只剩了她一个人,还是慢慢向前走来。泰山一时踌躇起来,不知该怎么对付她。他不愿意伤害一个女孩子,但他也清楚地知道,假如不杀死她,自己和这个倚偎着自己的男孩子,就必然非死即伤。

现在再说那第三个女人,她捉到了一个新丈夫,把他关在石屋里,准备关上一些天再说。她听到了第一个女人的石屋里有光脚跺地的声音,也有木棍打墙的声音。她明白这是第一个女人的孩子们在表示他们饿了。但是按照阿拉里女人的生活习惯,别的女人的孩子是与自己不相干的,她们无所谓同情心。但是敲打的声音听得久了,她出于本能,还是想把他们放出来,免得留在石屋里,经常找她们的麻烦,抢她们的食物。不如把他们驱赶到森林里去，任他们优胜劣汰，自生自灭。

于是她抓住捕回的男人的发髻，横拖倒拽，来到石屋前，搬开了堵着门的石板，把那男人拖到屋里，狠命地踢了他两脚，这等于告诉他不准反抗。转身竖起石板，把石门堵好，放心地来到第一个女人的石屋前。她走进石洞，正看见那个较年长的女孩子在攻击泰山。她用木棍敲打墙壁，大家的注意力都被她吸引过来了，视线齐刷刷地转到她身上。原来这些孩子们，自出生以来，除了自己的母亲之外，没见过其他的成年女人，他们陡然间看到这个女人，一时都吓愣了。站在泰山身边的那个男孩子，也直往泰山身后躲。泰山猛然见了这样一个女人，也不免吃了一惊。泰山自从进了这个山谷之后，还是第一次见到成年人。

这时，那个最大的女孩子似乎忘记了她正要进攻泰山，只呆呆地站在那里，显出一副吓傻了的样子，两眼直直地望着那女人。其他的孩子，也都恐惧到了极点。

泰山也凝视着这个母夜叉似的女人，只见她两道凶悍的目光也望着自己。第三个女人并不知道第一个女人屋里，还藏着这样一个男人。一见泰山比自己捉来的丈夫强多了，不觉喜出望外，立刻想要占为己有。于是她朝泰山走去，一心想把泰山挟回自己的石屋，完全忘了她到这里来的本来目的。

泰山此时并不明白那女人要做什么，以为她把自己当成敌人，要来进攻，或把自己从石屋里赶出去。泰山看这女人体格健壮，块头很大，连手里的木棍都很有分量，自己恐怕不是她的对手。不过泰山自幼生长在丛林里，身经百战，和任何敌人遭遇时他都没有发怵过。现在泰山全身裸露，仿佛又回到了在丛林兽群中生活的时代,面对一个像兽类一样的野人,他当然不会害怕。他现在只有一个念头:制伏对方,保护自己。

泰山很快向后面看了一眼,那几个阿拉里族的孩子,都蹲在一边,吓得瑟瑟发抖。这下,泰山的心已经放下了一半,知道他们不会和那女人联合起来,使自己腹背受敌。接着,他迅速地向四周打量了一遍,泰山虽然比过去年老了,可是处在危险境地时,他的思维还是非常敏捷。在第三个女人还没有猜到他要干什么之前,他已经完成了他的逃跑动作,快得像闪电,让第三个女人猝不及防,不但他本人逃走了,而且还带走了阿拉里族的那个男孩子。

原来,泰山的目光向周围一扫,早已看好了形势,他扛起了那个男孩,一个箭步就蹿到了墙下,纵身一跳,就攀上了墙头,然后先把小男孩扔到墙外,接着,自己也跳了下去。他四下里一望,只见那些洞口,坐着几个妇女。这时,天色渐晚,太阳已经向西边落下去了。泰山向四下里一看,只有一条逃跑的路,那就是通往谷口的一条古老的小道,这条小道似乎可以一直通到山谷外的丛林里去。此时的泰山,一点也不敢耽搁,飞一样地向小道奔跑过去,那个男孩子也明白了,迅速地跑在泰山前面,泰山紧紧地跟在孩子身后。

这时,有一个女人,看到一个不认识的男人逃跑了,从她的洞口站起来,抄起一根木棍就追。她这一连串迅猛的动作,也惊动了她的伙伴们,于是有五六个女人,都跟着来追泰山。

那男孩子似乎天生就能跑得很快,他一直跑在前面,给泰山引路,泰山跟着那个男孩子,也尽量发挥着他奔跑的速度。两个人一齐奔出谷口,向森林里跑去。

那些女人们,也拼命在后面追着,虽然她们跑得也不慢,可无论如何是追不上泰山的。她们想到了用飞石,她们从小就练习投掷飞石,到了成年,已经练到百发百中的程度了。现在虽然是天黑,如果她们用心使出绝招来,还是能击毙泰山的。可是她们都有一个共同的想法,刚才在洞口一瞥之间,她们都看出这个男人比起她们从森林里捉来的阿拉里男人来,要英俊得多,哪个女人不想要这么一个美男子似的丈夫呢?她们都不想打死他,而想活捉他,因此投掷石子时,不觉有点手下留情,这样自然就打不着他了。在前面跑着的泰山,当然不明白她们的心思。泰山只管向前飞跑,只觉得身后有石子纷纷飞来,有的石子从他身边擦过,却没有一块打中他的。尽管如此,他依然感到威胁很大,只有加快了脚步,向前奔跑。

天色渐渐暗下来了,泰山只觉得身后的石子像雨点一样飞来,当他跑到树林边时,马上跳上树去。到了树上,他才觉得安心了,他知道身后追他的女人们,一定已经失去了目标。他低头向树下看了看,那个男孩子还在沿着小道飞跑。泰山便在树上,仍跟着那个孩子跑的方向往前走。

那些追赶泰山的女人,突然不见了泰山,以为他也像阿拉里的男人一样,躲进了森林里。于是她们就进去搜寻,什么地方都找遍了,连泰山的影子都没见着,只好失望地回去了。她们虽然看见了那个男孩子还在奔跑,但她们并不想捉他,因为他还小,捉回去也没用,不如等他在森林里长大,如果他能够逃过野兽的袭击,也不死在野人的长矛和弓箭之下,等他长成了一个青年的时候,再来捉他去充当丈夫或奴隶。

那男孩凭现在的年龄,独立在森林里生活,实在是为时太早了。假如第一个女人不死,一定会留他在石屋里,至少还要养他一两年。到那时,他年纪大了,可以自立了,能够对付野人和野兽的危险了,他母亲也会把他驱赶到森林里来的。但是现在他被迫提早到森林中来,未来的命运,是吉是凶,就不会有人来管他了。

那男孩子跑了一阵,站下来,向后看了看,再没有女人在身后追他了,他才敢站住,倚着树喘一喘气。他瞪大了眼睛,向四处打量了一下,他要找把他从石屋里带出来的那个奇异的男人。但是,森林中已经是黑沉沉的了,睁大了眼睛看过去,只能看到不远的一些黑影,至于带他出来的那个男人,连影子也找不见了。他自有生以来,还从来没有离开过石屋,没有在森林中过过夜。这时,他真害怕极了,不停地用他的大耳朵,凝神静听。他听见了女人们往回走的脚步声,远远地从微风中传过来。但树林中却有许多令人恐怖的声音,他从来也没听过,不觉吓得毛骨悚然。各种各样的声音,有的从森林中的灌木丛后传来,有的从他头上的枝叶中传来,他忽然闻到一股奇怪的气味。

那男孩只觉得无边黑暗的夜色,从四面紧紧地挤压着他,他怕极了。向周围看看,什么也看不见,他不会发声音,没办法用喊声来找那个奇异的男人。他觉得那男人把他从洞中带出来,对他很好,可是现在为什么又把自己丢下不管呢?他到底到哪里去了呢?怎么一眨眼就不见了?他弄不明白,但他并不感到后悔或失望。他希望凭着听声音,找到那个男人。他相信他没有走远,总会找到他的。没有那个男人做依靠,他觉得太孤独,太害怕了。

忽然，附近的一株树上，发出了一声树枝折断声，这又吓了他一大跳，他努力用耳朵向四面听着。他凭直觉觉出有一个很大的东西向自己走来，他靠着一棵大树站着，一动也不敢动。他用鼻子闻了一阵，仍不知来的是什么东西。因为这是他有生以来第一次到丛林中来，对于各种野兽的气味，他一点儿知识也没有，嗅觉根本没有办法帮助他判断。但直觉告诉他，那个动物一定嗅到他的气味了，他觉出它渐渐走近自己了，等到再近一些，它一定会扑上来的。

这男孩子压根儿不懂得什么叫狮子，他从小就住在第一个女人的石屋里，没和外界接触过，同族人也不会讲话。当一头狮子怒吼着向他扑来时，他只知道那是一头会伤害自己的猛兽罢了。

四
裸体猎人

埃斯特本·米兰达紧紧地搂住了小妓娃的腰,浑身发抖地蹲伏在二十英里外的另一片树林的黑暗中。而这会儿这里也正有一个吼声如雷的狮子在发威。它的声音在树林里不断地回响。

小女孩感觉到在她身边的这个男子浑身打颤,转身轻蔑地对他说:"你根本就不是水鬼!"

她大声说:"你害怕,你甚至也不是泰山,因为卡米斯,我父亲说泰山什么也不怕。放开我!我可以爬到树上去。只有像你这样的胆小鬼和傻子才待在这儿,怕得要死地等狮子来吞掉自己。让我走,你听见没有?"

妓娃一面说,一面用力想挣脱那只搂着她的手。

"住嘴,你想把狮子引来吗?"

不过妓娃的话和她的挣扎还是起了作用,把吓呆了的埃斯特本从麻痹中唤了回来。他只好把妓娃举起来,送到最近的一棵树的树枝上去。等妓娃在树上坐稳了,他也爬到树上去。

现在他们在树上找到了一个更加安全的高树枝,在这里这一大一小两个人坐下来等着天亮的来临。这时在树下,狮子伏在那里老半天,不断地打喷嚏,时不时地发出一两声咆哮,有时还发出一声饥饿的吼叫震动着树林。

太阳终于升上天空，一夜也没合眼的妩娃和埃斯特本筋疲力尽地从树上爬了下来。女孩子现在想尽量地拖延时间，好让追捕他们的村中武士赶上他们，这会儿她已经不再相信，身边的这个男子是什么水鬼或是泰山了。而那个男人的心里却怀着另外的鬼胎，他要尽可能地走快些，和那些吃人的黑人生番的距离拉得越远越好。

现在埃斯特本已经有点完全不知如何是好了，他根本就不知道如何才能找到一条通到海岸边的路。现在他只是想逃开阿贝贝的追捕，一直向北走，并且时时留心想找到一条明显的向西去的大路。他甚至希望哪怕是遇见一个友好的黑人土著村子也行，可以帮助他到最近的海岸，所以他拖着妩娃尽快地赶路。他们走的路正好是沿着大荆棘林的西边一直向前。

当太阳的光线，照到了第一个女人石屋前的沙土地上时，昨晚被女孩一棍打死的那个男孩，还躺在那里。远处蔚蓝的天空上，出现了一个黑点，渐近渐大，看来是一只秃鹫，它在空中盘旋了一会儿，就落到地面上来了。不大会儿工夫，那男孩的尸体旁，就集聚了黑压压一大群秃鹫，很快，那孩子的尸体就被它们啄得只剩一副白骨了。其中有一只秃鹫打算再飞上天空的时候，它脖子上却绕上了一条金链，链子上还连着一个镶嵌着钻石的金盒。它觉得很不舒服，总想把它甩下来，但挣脱了半天，还是没能把它甩开。这秃鹫无可奈何，只好带着这个金链，向大荆棘林那边飞去了。钻石和金盒在日光的照耀下，闪闪地发着光。

让我们再来说人猿泰山。他被女人们追着，奔进树林，跳到树上,他看了看那个男孩,也跑进了树林。泰山就在他的头顶上,总离他不远。当狮子向那男孩扑去时,泰山俯下身来,抓住他的头发,一把把他提到了树上。泰山这个动作真快,连狮子都没看清是怎么回事,就让它扑了个空,刚才还在眼前的猎物,不知怎么一下子就不见了。

第二天早晨,泰山不得不筹划今后该怎么生活了。他认为,赤手空拳总不行,必须想法做武器,有了武器,才能猎捕兽类当食物。再说,自己也需要兽皮做衣服,虽说丛林里只有他和孩子两个人,可是自己这样赤裸裸的,总不成个体统呀!他觉得做武器和衣服这两件事,比较困难些,食物倒是容易解决。野生的水果和硬壳果,随处都可以摘到,而且也可以捡到不少鸟蛋。但泰山觉得,还是要找肉吃,肉食不但味道鲜美,而且,只有吃肉才能保持体力。更何况,他目前急于取兽皮做衣服,兽类内脏里,有的部分正是做武器的原材料呢。

泰山一边寻觅着野兽的足迹,一边也在寻找合适的木材,以备做弓箭和长矛之用。他带着那孩子找了一阵,在林子里,木材倒是很容易就找到了。这一天是有风的,泰山有意走在下风头,果然,不久,泰山就闻到了一股鹿的气味。

泰山为了不惊走鹿,马上跳到树上,他做着手势,叫那阿拉里孩子也爬上树来,那孩子虽然懂得了他的意思,但他毕竟没爬过树,怎么努力也爬不上去。泰山只好又把他抓到树上来,安顿在一个树杈上,又做着手势告诉他,要他好好看守着已收集好的木材,并且告诉他,自己必须走开,去捕猎兽类。

泰山没法断定那孩子是否真懂了他的意思,但是当他走开时，那孩子当真没跟着他。泰山悄没声地，顺着鹿的气味，从树上走过去。他在枝叶间腾跳着，一边留意嗅着气味，前进得很快。后来更临近些了，他觉得气味又像鹿又像羚羊。他想，不管是哪一种，反正这二者都是美味，总要猎取一头。后来越走越近，气味也越来越浓了，泰山已经判断出，前面恐怕有大群的羚羊，羚羊肉的美味使他觉得更饿了。他恐怕惊走了极为机警的羚羊，所以走得又轻又快。当他到了平原附近时，果然看见有十几只羚羊在那儿吃草。

泰山悄悄地坐在一根低的树枝上，观察着羚羊群的动静。他希望有一只羚羊走到他的树下，他一下子猛扑下去，就可以逮到手了。可是等了许久，没有一只羚羊离群，总在老地方吃草，没有一只到树下来的。泰山耐不住性子了，很想跳下去，但又怕惊动了它们，它们会四散逃走，而且跑得很快。泰山熟悉它们的习性，它们往往是在一个地方受了惊，会有好几天，不敢再到这老地方来的。

泰山想到这些，觉得已经等了这么久了，不要功亏一篑，还是耐心地等下去好。哪知他正在耐住性子等着的时候，另外一种气味，钻进了他的嗅觉，他立刻明白了，是狮子！泰山耸了耸肩，他想自己在下风头，狮子既然没出现在自己和羚羊之间，那肯定在上风头了，狮子是发现不了自己的。可是，不知道为什么，羚羊群却嗅到了狮子的气味，刚才它们还在安安然然低头吃草，现在却都抬起头来，竖着耳朵倾听着，分明是察觉到有狮子过来了。

据泰山推测，这时林子里的风向，可能起了变化，所以羚羊才能嗅出了狮子的味道。他正在继续观察，只听见一声怒吼，一头狮子已经从对面灌木丛里冲出来了。平原上的羚羊们,马上四散奔逃,转眼之间,就不见踪影了。泰山对这头狮子很生气,是它冲了来,才吓跑了即将到嘴的美味。等一等,那里还有一头什么没跑掉呢!泰山仔细一看,原来是一头失群而惊慌的雌鹿,它正企图逃脱狮子的追杀,从那边拼命冲了出来。这头雌鹿慌不择路,正好逃到泰山的树下。泰山看得十分真切,从树枝间直跳下来,有力的双手,马上抓住了鹿的脖子,稍稍一用力,鹿的颈骨就断了。泰山把死鹿扛在肩上,重又跳上附近的一棵树。那狮子很快就扑到了树下,可是已经够不着泰山了,只能望着泰山和鹿怒吼。泰山笑骂了几句,顺手折断了一根树枝,向狮子头上扔去,随后扛着死鹿,从树上走了。

泰山回到了阿拉里男孩等他的地方,把死鹿放在一个树杈上,他见阿拉里男孩身边有一把吃肉时用的石刀,就要过来,用石刀割开鹿皮,和那男孩分吃鹿肉。那男孩凝视着这位英国爵士,撕咬着血淋淋的生鹿肉大嚼,觉得不可思议。他慢慢爬下树去,自己找了一堆枯枝做燃料,把泰山分给他的鹿肉烤来吃。泰山看着他生火烤肉,觉得很有趣。因为他不会掌握火候,他烤的肉外面焦了,里面却还是生的。泰山暗自想,别看这孩子属于不开化的民族,但他比只吃生肉的兽类,总还算文明些。但又想,也不尽然,吃生肉的,未必都是野蛮的兽类。自己就曾在伦敦的一个俱乐部里,看到过一位体面的绅士,专门点着吃半生不熟的牛排。

泰山想到这里,脸上不禁泛起了微笑,因为他回忆起了一些往事。记得有一次,他和几个法国朋友在一起吃饭时,他曾说起在非洲吃过甲虫,还和猿类一起吃过东西,大家都嚷道:"这多可怕!"可是这时候,他们正满嘴嚼着蜗牛,而且还吃得有滋有味呢!又想到美国有些乡下人,讥笑法国人吃田鸡腿,但他们自己,却爱吃一种麝鼠的肉。还有爱斯基摩人,喜爱吃生的鲸油,亚马逊河流域的白人和土著人,喜欢吃猴子或鹦鹉身上的某些部位。他还见过纽约城里的一个人,专爱吃臭奶酪上的小黑虫。有些人就是有这些奇异的口味,原不足怪的。

泰山觉得这些鹿肉,足够他们两人吃好几天的了,暂时可以不必再去打猎。于是他坐下来,专心致志地做他的武器,还打算给自己做一件兽皮衣服。他先教给男孩怎样用石刀刮兽皮,自己则腾出手来做武器。做武器的工作进展很慢,俗话说:工欲善其事,必先利其器,他苦于找不到得心应手的工具,只好在河边找几块石头,磨一磨,勉强可以使用。泰山用几天的工夫,努力地做着,等有了武器,他就可以展开大范围的活动了。不但可以抵抗阿拉里女人们的来犯,而且也可以抵御其他的兽类了。

泰山一边做着武器,一边看着那个孩子,他觉着把这可怜的小东西留在身边,不但没有帮助,反而是个累赘。看他那怯懦的样子,什么都害怕。又不会说话,能做什么呢?想把他丢了吧?又有点不忍,想起在石洞里,那一群孩子攻打自己时,唯独这男孩子跑到了自己的身边。而且,一直跟随自己到了这里,可见他还是信赖并愿意服从自己的。想到这里,泰山觉得不如留这个孩子在身边,若丢下他不管,也许真喂了狮子,怪可怜的。

泰山手里做着武器,心里忽然触发了一个念头,何不多做一副弓箭和长矛,也教会这个孩子使用呢?泰山看到过阿拉里族的武器,只是一根木棍,非常笨重,他们的飞石,虽然也有弓箭的效果,木棍却远远比不上长矛。假如把这些武器的用法,都教会了这孩子,不但他以后能自立,而且在必要的时候,说不定还能助自己一臂之力呢。不是吗?不论猎取动物还是跟敌人斗争的时候,他都可以在旁边帮助自己。

泰山正这样思虑着,忽然看见那孩子把耳朵贴在地面上,似乎听见了远处的什么声音。后来他抬起头来看看泰山,指指耳朵,又指指地面,意思是让泰山也来听。泰山放下了手里的活儿,也把耳朵贴到地面上来听,果然听到了有脚步声,从小道的远处过来。

泰山知道有情况了,为了防止意外,就把鹿肉、工具和未完成的武器,都收拢到一起,放到树上的高处去。然后把那男孩也拖到了树上。这些天来,这孩子也自己练习着爬树,开始学到了一些技巧,爬起来当然没有泰山快。假如没有泰山的帮助,想爬到高处去,还是有困难的。

他们两个爬到树枝高处,向远处望了一阵,果然看见一个阿拉里的女人,从小道上跑过来,在她身后十几步的地方,还跟着两三个女人。她们成群结队地出来,是很少有的事,平时她们都习惯于独来独往,彼此之间是没有互助可言的。她们也有时共同出来狩猎,那都是比较特殊的情况之下,譬如捕捉曾经伤害过她们的猛兽,或是求偶季节,还没有找到丈夫的女人,也会联合在一起,共同出来争夺男人。

等到她们跑近些时,泰山认出来了,跑在头里的那个,正是泰山见过的第三个女人。泰山和那孩子,就蹲在树上观望着她

武器造好了，他就慢慢教孩子使用。

们。她们掀动着大耳朵,转着眼睛,向四下里搜寻。她们身上的某部分皮肤,还不时抖动着,以赶去叮在身上的小虫之类。

她们经过树下,没有发现泰山和孩子。泰山目送着她们转了个弯,看不见了,才又跳到地面上来,继续做他的武器。泰山忽然觉得自己非常好笑,堂堂的人猿泰山,丛林之王,却要跳到树上去躲三个女人。但是,目前的处境就是这样,跟她们起无端的纷争,是没有必要的。况且,泰山至今尚不了解她们的底细,仅就表面看,她们就十分凶悍,是泰山从前所没有见过的。自己却两手空空,连武器都没有,惹她们做什么?岂不是凭空要挨她们的木棍和飞石?弄不好还有可能被她们捉回去,泰山可不干这样的傻事。

转眼间几天过去了,泰山和那个不会发声的孩子待在一起。武器造好了,他就慢慢教孩子使用武器,猎捕食物已经不成问题了。那孩子虽然不能说话,但性格还是淳朴善良的,很能领悟泰山的意思,对泰山也十分尊重。泰山不但教会了他如何使用弓箭和长矛,还把自己的绝技,掷绳套也教给了他。慢慢的,这孩子竟都能掌握诀窍,运用得法了。

在泰山和这男孩打猎度日的日子里,这阿拉里男孩的性格,在不知不觉中,竟起了很大的变化。他过去在树林里,东张西望,好像无时无刻不处在恐惧之中,总怕有什么野兽突然袭来,他会束手无策;同时他也怕阿拉里族的女人来,自己也对付不了她们。随着学会了使用武器,随着技艺的逐渐长进,他的胆子似乎也大了。渐渐的,他羡慕起泰山的打猎本领,也想把它学到手。有一次,他们俩正在平原上走着,有一头狮子向泰山扑来,只见泰山手中的长矛一掷,就把狮子刺死了。那孩子也总想找机会试试这一手,后来,真的被他抓到了这样一个机会,这一天,泰山带他一起出去打猎,碰见了一小群野猪,泰山用箭射死了两头。那些野猪,见同伴被杀,纷纷四散逃跑,其中有一头竟慌不择路地向男孩冲过来,这次这男孩一改常态,不再逃避了,按照泰山教的方法,投出了长矛,那头野猪竟真的被他刺死了。泰山摸了摸他的头,以示赞许,这孩子自此,也勇气大增起来。

这时,这阿拉里男孩的性格完全变了,他走路昂首挺胸,勇敢无畏,有了一种男子汉大丈夫的气概,完全脱去了阿拉里族男人的怯懦神态,而扬眉吐气了,他脸上也有了几分阿拉里族女人的凶悍神情,好像完全变了一个人。这一点,他自己一点也不觉得,泰山却是看得清清楚楚。如果这个孩子的母亲没有死,看到儿子身上发生了这样的变化,一定会惊奇万分,甚至会不敢认这男孩就是自己的儿子呢。

泰山再也没有同阿拉里族的女人们遇到过,但二者都经常在大荆棘林包围着的大片土地上游荡,泰山总想找到一条从这里逃出去的道路。然而与此同时,泰山并不知道,埃斯特本·米兰达,带着小妞娃,也正在这大荆棘林的边沿上徘徊着,企图找一条通向西海岸的小道。

五
蚁 人

　　这个阿拉里男孩,平时总是跟随着泰山,对泰山很亲近、很顺从,就像驯养的狗对待主人一样。泰山有什么命令,他都毫不打折地遵从。后来,泰山又想出了一种能和他交流的手势语,对他们两人彼此表达意思很有帮助。这男孩非常喜爱泰山给他制作的新武器,天天拿来摆弄,在泰山指导下学习,等他娴熟地使用了这些新武器之后,胆量和体力都渐渐提升起来,慢慢已经能自立了。他俩偶尔也不在一起打猎,各自出去,分头找猎物,这样,猎获的食物,也就有所增加了。

　　有一次,泰山和他又分别出去打猎,泰山闻到了一股鹿的气味,于是他顺着气味向前追去。哪知跑了很多路,却没有找到鹿,继而,他又闻到了一股阿拉里女人的气味。泰山疑心这个女人要来夺他的猎物,因而有点恼怒。在森林中猎捕食物的动物,都有这个习惯,自己要捕猎的目标,是不愿意有第三者来夺的。泰山现在的生活方式,和丛林中的动物没有什么两样,因此,在猎捕食物上,他自然也不例外。

　　泰山为了便于弄清情况,跳到了树上,当他从气味上辨准了阿拉里女人走的方向之后,他也在树上跟着这个方向走去。走了一段路，他还没有找到这个女人，却又闻到了一股另外的气味，这气味是他从来没有闻到过的，他觉得非常奇怪，这是什么动物发出来的气味呢？他非常迷惑不解。闻起来似乎像人的气味，可又是一种非常不熟悉的人的气味。气味虽然很淡薄，但他能确切地判断出，发出这种气味的生物，必定离他不远。于是他循着这股气味，继续前进。又过了一会儿，他听到了一阵抑扬顿挫的声音，很像是音乐，一阵一阵地飘到他的耳中来。泰山觉得，这声音虽不大，但能发出这么悦耳的声音来的，一定不是平常的生物。现在他早已把捕鹿的事忘在脑后了，仔细地听着声音向前走去，想要看个究竟。

泰山悄悄地走到了附近，听那音乐声，音节更加繁复了，他加紧了脚步，到了一个大平原的前面。泰山看到离他大约有一百米的前边，有一种景象，使他简直疑心是自己眼花了。那里有一大群人，其中，泰山所熟悉的，只有一个阿拉里族的女人。围绕在她身边的，是一种被缩小了的白种武士，他们都骑在一种被非洲西海岸的人们称为小羚羊，也叫"王羚"的羊背上。这群小武士的手中，分别拿着长矛和刀，拼命刺着那阿拉里女人的腿。那高大的女人，一边往树林躲，一边用木棍向他们还击，有时，还用脚踢开他们。

泰山明白了那群小武士的意思，他们是想砍断那个女人的腿，然后把她捉住，也许想杀死她。但是，看来尽管他们有一百多人，但他们可能成功的机会，还是微乎其微。因为那女人的大脚，一脚踢过去，可以一下子踢倒十几个人，有时比这还多。和矮小的武士比起来，她太高大了，他们与她之间，体形相差得太悬殊了。泰山看那些小武士里，几乎有半数以上受了伤，甚至丧失了战斗力。那些受了重伤的人和王羚，横七竖八地倒在平原上。

尽管小武士这边死伤很多，但他们照旧奋勇上前，前仆后继，丝毫没有锐气受挫的样子。泰山非常钦佩他们这种勇敢精神，但他又迷惑不解，在双方力量悬殊的情况下，他们何以不逃？泰山又仔细一看，他明白了，原来有一个小武士，被阿拉里女人抓到了手中，正是为了这个缘故，所以这群小武士才这样不依不饶，拼上命也要夺回自己的人。

泰山在一边观察着，他非常欣赏他们骑着的小羚羊。原来这种产于西海岸的王羚，很少有人见过，这原是一种怯懦的小动物，这一点，是泰山从书上早就读到过的。这种动物，向来不敢接近人类。但是，现在出现在泰山面前的，明明就是王羚，可和过去书上说的完全不同了。它们的身材，比泰山知道的那一种，稍稍大一点。从背到脚，大约有十五英寸。其他的地方，则没有什么不同了。看它们现在，完全听从小武士的指挥，对那女人的棍打和脚踢，并不惧怕，毫没有怯懦的样子。它们背上，配着完备的鞍具，似乎还经过相当的训练，很能适应战阵的要求，按照小骑手的意志，前跳或后退。每当前面有危险时，它们能很机警而及时地后退，而当于战士有利，有隙可乘时，它们也会不失时机地前进。它们每跳一次，有十尺到十二尺的距离。泰山见王羚在战阵上如此灵活自如，心里不由得暗暗称许。泰山同时也赞赏小武士们的骑术，不论王羚跳跃得多么厉害，他们都能稳稳地骑在羊背上。

泰山在旁边观阵，觉得兴味盎然。起初他还有些疑惑，现在他敢断定了,他所看到的,确实是一些矮小的人类。并不是旅游者在非洲见过的那种黑人,但是这种袖珍式的白种小武士,恐怕只有在古代探险的记述中,或在神话传说中才会见到的吧!

开始时,泰山只是居于互相厮打的二者之间做壁上观,觉得很有趣。后来,泰山的同情心,渐渐移到小武士这边来了。那个阿拉里女人,紧紧抓住她的俘虏不放,都快要跑进树林里去了,看来,形势对小武士们非常不利,于是,泰山决定助小武士一臂之力。

当泰山从藏匿的地方走出来时,首先发现他的是小武士们。他们一见泰山出现,很明显,他们心里产生了误会,以为又来了一个巨大的对手。只听见他们发出了一声失望的惊呼,同时也向后退却了。泰山在旁边看了这么久,这还是第一次见他们退却。泰山为了让小武士们明白他是来帮助他们的,而不是他们的敌人,立即放开大步,去追那个阿拉里女人。那女人见了泰山,却用手势向他表示,要他帮助打走那些追击她的小武士。这女人平日自恃在族中有权力,对男人颐指气使惯了,以为泰山也会服从她。

泰山从那男孩那里,也学会了一些手势语,就打手势告诉那女人,要她放下手里的小武士,然后走开,并不许她再和那群小武士为难。阿拉里的男人们,从来还没有一个胆敢忤她的意,因此,她在泰山面前,当然不甘示弱,马上现出一脸狰狞的凶相,迎面向他扑过来。泰山拿起一支箭,搭在了弓弦上。

"回去!"泰山用手势语告诉她,"回去!否则我会杀死你。放下你手里的矮人,回去!"

那阿拉里女人平生没见过弓箭，自然也不知道它的厉害，根本不理睬泰山，仍抓住小俘虏，往树林那边退。于是泰山拉开弓，用眼睛瞄准那女人，摆出一副要射箭的架势了。这时小武士们似乎看明白了，这个陌生的大汉是来帮助他们的，于是他们勒住坐骑，不再后退，端坐在羊背上，静观着事态的变化。泰山这时候还希望那女人能听他的劝告，而不愿意结果她的性命。但那女人并不听泰山那一套，依旧十分凶悍，并且要向泰山进行攻击。她渐渐向泰山逼近，手里还挥舞着木棍。泰山看这形势，不能再耽搁了，只好把箭射出去，那箭不偏不倚，正射中那野蛮女人的胸膛。

阿拉里女人中箭之后，踉跄了几步，终于跌倒了。泰山跑到她跟前，从她手掌中救出了那个小武士。其他的小武士们，此时似乎又发生了误会，挥动着武器一齐向泰山奔过来，一面还高喊着什么。但泰山在他们尚未赶到之前，已经把小武士轻轻地放在了地上，让他恢复了自由。

立刻，那群骑着王羚的小武士们态度就变了，高喊声变成了欢呼声。泰山看见有几个小武士，跳下羊背，跑到被释放的小武士面前，跪下来，拿起他的一只手，按在自己的嘴上。泰山不由得猜想，他所救出的人，地位一定很高，说不定是个领袖。泰山不知这些小武士对自己将会采取什么态度，于是他很热情地看着他们，好像一个成年人在看一群小动物一样。

当这些小武士们在欢庆他们中的一个脱险时，泰山才有了从容的时间来更仔细地观察他们。他觉得，他们这一群中，身材最高的，也不过半米。他们的皮肤是白皙的，尽管由于风吹日晒，有点略呈褐色，但无疑他们是白种人。泰山再仔细看他们的外貌,他们都长得眉清目秀,五官端正,在一般的白种人中,应该算是俊美的。他们每个人的相貌也各不相同,但就总体而言,都是风度翩翩的。这些人都没有胡须,好像都还年轻。泰山从阿拉里女人手中救出来的那个,在他们这一群中似乎是最年少的,但那些比他年长的,却都对他致敬。

泰山正在凝视着他们,被他救出的那个年轻领袖,却命令其他的武士都站过来,他对他们讲了一阵话。接着,他转过身来,对泰山也讲了许多话,可是泰山一句也听不懂。泰山猜想,他大概是在表示感谢,于是用手势回答他,愿意和他们友好相处。为了表示自己的友好诚意,泰山把武器丢在一边,伸开双手,向他们走过去。

那年轻人似乎也懂了泰山的意思,他也走上前来,把手伸给了泰山。泰山从刚才的观察中,已经知道按照他们的规矩,应该伸出一只手,和这个年轻人握手。泰山之所以这样做,是想和这位年轻的领袖以平等的地位见礼。泰山因为比他高大得多,所以屈下一膝,用一只手握住对方的小手,低下自己的头来,向他微笑着。泰山认为自己这样做,是表示了不卑不亢的气度。那年轻人似乎也感到很满意,恭恭敬敬地回了一个鞠躬礼。然后他也用手势向泰山表示,他将率领这一队小武士,经过平原,回到他们的驻地去,并邀请泰山和他们一起去。

泰山正好奇地想知道有关这些小矮人们的一切,于是马上表示了同意。小武士们在离开这个地方之前,还做了一件令泰山很感动的事,那就是收拾他们死伤的同伴。他们身边,都佩带着长矛和长刀,现在这些武器,就成了搬运伤兵的工具。他们每人身体的左边,还佩有一把带鞘的小刀,是非常锋利的,两面开刃,有点像宝剑,长约一英寸半,刀尖也十分锐利。在搬运伤兵的工作中,这个武器却是用不上的。

他们将战死的和受伤的同伴,都聚集在一起。那位年轻的领袖,走到他们身边,逐个查看,身后有五六个小武士跟随着他。据泰山猜想,这五六个小武士,很可能是军官,也许是比这位小领袖低一点的官员。他看了看那几个军官,也在和伤兵作着慰问似的谈话。其中有几个重伤员,已经奄奄一息了,很明显没有存活的希望了。那位年轻的领袖,先是安慰了他们一些话,然后用他的指挥刀,刺入了这几个将死者的胸膛。这个举动,表面上看起来,好像很残酷,但在战场上看起来,却是人道主义的做法。因为他们已经不能用医药救活了,何必让他们延缓时间,多受痛苦呢?

处理完了奄奄待毙的重伤员以后,军官们命令二十几个小武士,在一大堆战死者的旁边,挖了一个长方形的坑。原来他们的铲子,是挂在鞍子上的,现在摘下来,安在长矛上,就成了挖土的工具。他们工作得十分迅速,没用多少时间,坑就已经挖好了,这个坑长约五十英寸,宽十八英寸,深约九英寸。这个坑看起来不大,可是就他们的身体尺寸来说,已经不小了。如果把他们的身材放大到和普通人一样大,然后按比例推算,这个坑的大小就该是:十七英尺长,六英尺宽,三英尺深了。坑挖好了,他们就依次把死者放入坑中,分成两行,重叠起来,非常整齐有序。先用铲子把泥土塞在尸身的空隙处,然后在尸身上压上石块,压到约有两英寸高,最后把挖出来的泥土,完全覆盖在石块上。至此,埋葬死者的工作,就算完成了。

前两项工作完成之后,他们开始做救护伤员的工作了。先把跑散的小王羚赶回来,把受伤的同伴捆扎在羊背上,组成一个先遣队,首先出发。随后其余的武士,也跨上坐骑,跟在后面。他们出发行军的方式,泰山也觉得很奇特有趣。那些武士们拉着缰绳,排成两行,肃立在年轻领袖的前面,那年轻领袖和少数军官们都骑在羊背上,站在一旁。那年轻领袖并不喊什么口令,只是把手中的指挥刀刀尖向上,举过头顶,然后挥刀向下,催动坐骑,先在外圈兜一转,再向武士们的行列前方跑去。几个军官也随在他后面,催着坐骑兜一转,然后在前排武士的王羚前,跳出一步,武士们这时才开始骑上羊背。他们上羊时,身体既轻便,跳跃又得法,轻得像一片羽毛落在羊背上一样。接着,前排的小武士先向前跳一步,然后就是后排武士的王羚,跳到前排武士原先的位置上,后排武士,也跳上羊背。这前后两排人马,先后各跳前一步,然后才像正常的队伍一样,开始向前走去。泰山认为这是一种很聪明的开步法,可以使得骑兵的动作,和步兵的动作,保持同样的速度,不至拉开太大的距离,或因拖延时间,而使队伍混乱。

大队前进时,忽然有十个武士,从左边斜刺里飞奔出来,一直跑到泰山跟前,他们由一个军官带领着。原来这十个人,是从前面队伍里的武士中抽选出来的。这军官做着手势,要泰山随他们一起去。这时候,前面的部队,早已过了平原,走出很远了。因为他们的王羚,在平常行军时,每次一跳,足有五六英尺远。泰山平日,也称得上跳跃如飞的了,可是现在和他们比起来,竟是不如了。

泰山赶着快走,跟着他们同行。在这时,他忽然想起了那个阿拉里男孩,他也许在后面的林中打猎,也许还在等着自己。他想,那男孩既然有了武器,足可以自卫了,自己此去,不过是看看矮人住处的实际情况,不用耽搁多久,就会回来的。回来之后,再到那片森林里去找,一定会找到男孩的。

泰山跟着小武士们走,没敢用出全部的体力来,因为他不知道前边还有多远的路,也不知道他们中间会不会安排休息,所以还是留着一些体力,和前边的武士保持一段距离。他们走过平原,就进入树林了,树林里的路面,比林外的更崎岖难行些。到处都是树木和丰茂的草丛。还有许多身体高大的羚羊在那里走来走去。这些羚羊见了小骑兵和泰山,十分惊慌,赶忙向四处逃散了。有一次,遇见了一头犀牛,他们马上避开,大概犀牛也没看见他们,所以没有发生什么冲突。后来又经过一大簇灌木丛,领队的军官,就发出命令,停止前进。他举着长矛,向灌木丛走去,同时他又命令队伍,分开成散兵线,包围这灌木丛。

泰山不知发生了什么事,就站在那里,看着他们的动静。因为泰山这时站的是上风头,所以闻不到什么气味,也不知道灌木丛里是否有什么野兽,如果他能闻到气味,他就会明白那个军官为什么采取这些措施了。那些武士包围了灌木丛,端着长矛,伏在地上做着准备的姿势,泰山这时已经听到,有一声凶悍的吼叫声,从灌木丛中传出来。接着,就有一只非洲野猫窜了出来,向着那军官扑去。军官用他的长矛,向野猫刺去,这一矛正刺中了野猫的胸膛。野猫在没死之前,还拼命地挣扎了一阵,那个军官几乎被野猫拖下坐骑。幸而那野猫没能挣脱长矛，否则，那军官即使不被它咬死，也一定会受伤的。因为这种非洲野猫，在我们平常人看起来没有多大，可是它跟小武士比起来，却有点像狮子一样的凶猛呢！等野猫死了，有四个小武士跳上前去，用他们锋利的腰刀，割下了野猫的头，而且在极短的时间内，剥完了它的皮。

泰山看着他们的这些动作，知道他们平日训练有素，决不像普通的非洲人一样。他们的工作效率很高，丝毫不浪费一点时间，他们将野猫的头，扣在一个武士的坐鞍边，把猫皮放在另一个武士的坐鞍上。只用十几分钟，就又继续前进了。

指挥这一小队武士的，是一个比泰山救下的那个领袖稍年长的军官，所谓年长，也只是大一点点，相差不了多少。泰山看他和野猫战斗时那种奋勇精神，知道他是一个勇敢善战的军官。再回想起刚才他们和阿拉里女人战斗，死伤了不少人，但是他们并不气馁，由此可以判断出他们是个尚武的民族，因此，泰山非常钦佩他们。尽管如此，他心里对他们还是有所提防的，到底不是老朋友，而是素昧平生的陌生人啊，泰山跟他们还没有推心置腹的交情。

他们走了有五六个小时，平原早已经在身后了。泰山从风向中闻出，前面有羚羊。他已经有一天没吃东西了，此时闻到羚羊的气味，自然引起了他的食欲。他跑向前去，超到了军官的前面，那军官不知泰山要做什么，于是就用手势去阻止他。泰山本想也用手势告诉他，自己肚子饿了，要捕捉动物来充饥，然后再跟他们走。无奈这些意思太复杂了，一时用手势说不清，只好作罢。只用简单的手势告诉他们暂停一下，那军官懂了，就放他前去。于是,泰山便朝一丛灌木丛奔去,那一小队武士,也跟随在他后面,一起前进。他们走得轻,但是泰山锐敏的听觉,还是能听得出他们的脚步声。

泰山走近灌木丛,看见有十多只羚羊,正在那里吃草。距离泰山最近的一只,不过有一百尺光景。泰山拿下弓来,取出一支箭,向着羚羊近处的一株树走去。这时候,军官也看清了泰山要做什么了,就命令武士停下来,免得惊动了羚羊。他们非常注意地看着泰山使用他的武器。泰山嗖地放出了一支箭,正好射在羚羊身上,接着又飞出两箭。等到泰山奔过去时,那只羚羊已经倒在地上死了。

那些小武士们也奔了过来,他们对于泰山用这种方法杀死羚羊,表示十分惊奇。一来他们从未见过弓箭,二来在他们国里,平时是把羚羊看成庞然大物的,几乎相当于我们对大象的看法一样。他们向泰山笑笑,把两个手掌合起来搓着,泰山猜想他们这个动作,大概相当于文明人的鼓掌,表示赞美和庆贺,所以也以一笑回报他们。

泰山从死羚羊身上,拔出了他的箭,仍放在箭袋里,又向军官借了一把刀,用来剥皮割肉。泰山趁热吃生肉,是决不愿意放掉血液的,因为那样会减少鲜美的滋味。泰山拿起刀来,割着鲜血,就大口大口地吃起来了。

这种吃法,却是小武士们从没见过的,他们觉得大出意外,脸上顿时露出恐惧的神色。泰山割了几块肉,请他们吃,他们虽然都接过来了,但是都丢在地上了,他们为什么这样做,泰山当然不明白,泰山只以为他们是不吃生肉的。后来,泰山才探知他们的真实想法,原来他们以为凡是吃生肉的动物,到了饿急了的时候,一定也会吃人的,所以他们对泰山起了恐惧心。

泰山吃饱了之后,就用羚羊皮把骨头和吃剩的肉包在一起,背在肩上,又跟着他们继续前进。然而这些武士的态度,已经跟原先不一样了,脸上都有了不安的神情。好像对泰山很不放心,一边互相耳语着,一边不断回头看看泰山。他们和敌人交战,从来都没有害怕过,但是面前的泰山可不一样了,他既生得高大,又吃生肉,看他刚才满手满嘴是血,嚼得津津有味的样子,他若吃起人来,岂不也会是这个样子?把这么一个人,领到自己的国土里去,一旦他也这样吃起来,那还了得?况且,他的食量还是惊人的大啊!

走到下午,泰山远远望见前面有许多小山。当他们走近时,有一队骑兵,出来迎接他们。泰山因为身材高大,所以老远就看见了,他做手势叫那军官看,那军官因为太矮,什么也看不见。于是泰山站住,把一个小武士高高举起,叫他往前面望。这武士起初不明白泰山是什么意思,其他的武士也着急起来了,甚至有人准备用武器向泰山进攻。被泰山举起的武士,这时也已拔出刀来,但是他们看到泰山的满脸笑容,似乎不像有什么恶意,才放下心来。泰山举着的那个武士,向前边一望,就大声和前边的骑兵打起招呼来,泰山才知道,前面来的是他们自己人。几分钟以后,两拨人走到一起,情况才完全清楚了,原来那些人是出来迎接他们的。一时间,有几百人围住了他们,刚才和阿拉里女人战斗的那个青年领袖,也在队伍中,他上前热情地和泰山握手,表示诚挚的欢迎。

接着,两边的武士,都滔滔不绝地交谈起来,泰山虽然听不懂他们的话,但是察言观色也能看出他们是在谈自己。原来那个护送泰山的军官,在告诉那年轻的领袖,泰山是个爱吃生肉的动物,让他住到国里来,不知是不是有危险。两边武士们所交谈的,也是泰山如何射死羚羊、生吃羚羊肉的事。

那年轻领袖,可能由于泰山救过自己,听了这件事,并不介意。他向小武士们说,这个高大的人,所以要吃生羚羊肉,恐怕是出于太饥饿了的缘故,对于小武士们,他决没有恶意。假若他真有恶意,那么刚才在路上的时候,大队人都先走了,护送他的人并不多,他为什么不和小武士为难呢?他如果不猎取羚羊吃,而吃小武士,也不是多难的事,可是他没有这样做,可见他对小武士们没有歹意。小武士们听了领袖这番话,觉得很有道理,也就不再议论什么了。于是又继续往前走,走到小山跟前,现在离他们的目的地,只有一二英里的路程了。

将走近小山时,泰山看见有许多小矮人,在那里蠕蠕地走动。渐渐走得更近了,才看清这些小山,并不是天然生成的,而是人工造出的石墩。有一大堆工作人员,由地底下的洞里走出来,他们背上都背着东西,向对面的一个石磴走去。另外,也有一队空着手的工人,从另一个洞走到地底下去。在这两个队伍之间,有全副武装的兵士监视着。此外,远处还有几队工人,也都有武装的兵士监视。工人们在各个圆形的洞口进进出出,一片忙碌的样子。泰山看到这些情形,不禁想起蚂蚁在蚁穴周围工作的状况。

六
特劳汉纳达尔马库斯城

一只秃鹫正悠闲地绕着大圈飞翔在乌戈戈河右岸的上空。那只曾挂在琴恩胸前的金盒,在阳光的照射下,闪闪发光。现在它不再让秃鹫感到烦恼了,因为当它飞起来时,这小金盒并不妨碍它了。只有当它落到地上,并在地上行走时,这个小盒子,才让秃鹫感到不便,因为它老在秃鹫的脚前碰来碰去,而当秃鹫碰到它时,就免不了要绊一下。秃鹫挣扎了无数次,挣脱不掉,也就慢慢习惯了,只好接受了这个摆脱不了的讨厌的魔鬼。现在秃鹫忽然看见在自己的下面,躺着一头戈格(猿语,水牛)的尸体,秃鹫马上知道这是适合自己的一顿美餐,它向周围看了看,似乎没有什么敌人会来干扰,于是秃鹫就照直向它扑去。

距离这里若干英里之外,一个身材魁梧的白人,和一个黑人小女孩,正匍伏地隐藏在一个浓密的灌木丛中。白人的一只手,正捂在小女孩的嘴上,而另一只手,却拿着一把短刀,刀尖正对着小女孩的心脏,似乎随时都有扎下去的可能。那白人的眼睛却不看着小女孩,而是睁得大大的,透过树叶的缝隙,在向一条小路上望着。小路上正有两个黑武士,在向前走着。原来这两个黑武士,是来自阿贝贝村的,也恰好就是来寻找和救助巫师卡米斯的小女儿妞娃的。但是这时正在埃斯特本刀尖威胁下的小妞娃，却一点声音也不敢出。一来她的嘴被捂着，想喊也喊不出来；二来，那把明晃晃的刀子，就逼在她的胸前，她若稍稍弄出点声音来，那把刀子就会扎下来，要了她的命，这一点她心里是明白的，等那两个黑武士来救她时，她的命早就没了。所以她只好眼睁睁地看着两个黑武士，渐渐走近她，又离她远去，她甚至能认出这两个黑武士，就是她父亲村子里的，可是这又有什么用呢？一直到那两个黑武士走远了，西班牙人埃斯特本，才拉着她回到小路上来。这条路对小妞娃来说，似乎是一条永远没有尽头的，也永远没有目的地的，穿过一座又一座丛林的路。

　　让我们再回过头来说泰山。泰山在矮人的城里，受到了很隆重的欢迎，于是他决定先在这里小住，考察一下矮人们的生活和工作情况。为了考察的便利，他也学起了他们的语言。这对泰山来说，是很容易的事。泰山平时，已经学会了很多种语言了，况且，他人又聪明，任何一种语言，一学就会。因此，他很快就学会了矮人国里的语言。泰山在这里住了没有多久，就知道了一件事。原来，起初矮人们疑心他是阿拉里人，虽然他和阿拉里人的外貌不完全一样，但高矮是差不多的。他们以为他一定也不会说话，后来听到他能发声，而且学习语言非常之快，才断定他不是阿拉里人。于是国王阿顿卓哈基斯，派了几个人，专门教给他语言。并且国王还对全国的民众下了命令，要大家以诚恳热情的态度，对待这位奇怪的巨人。他若有什么问题要问，一定要忠实地、用简单明了的话告诉他。凡是这位嘉宾想了解的，都尽量满足他。

国王阿顿卓哈基斯之所以这样优待泰山，是因为泰山从阿拉里女人手中救出来的那个小武士，原来就是本国的王子柯莫多弗劳伦萨，因此，国王对他非常感激。他为泰山的生活，设想得很周到，给他设置的住处，是在一株大树的树荫下，这株树的枝叶，可以伸到城墙外。还选派了一百个奴隶，按时给泰山送上丰美的食品。在泰山散步的时候，总有一队骑兵，在前面为他开路。因为城里的矮人，比泰山矮多了，如果不做好清道工作，说不定冷不防会被泰山踢倒。其实泰山走路或做什么事，也非常小心，时时留意着不要伤害了他们。

泰山渐渐学会了他们的语言，也知道了许多关于这个国家的事。王子柯莫多弗劳伦萨，几乎天天到泰山这里来看他，顺便也告诉他国内所发生的一些事，使泰山对这个国家随时都有新的了解。泰山在散步的时候，也观察着城里的一切。他发觉，这个国家的建筑是非常奇特而巧妙的。起初泰山看见的圆形小山，原来就是他们的房屋，比泰山的身体，还要高得多。他们的房屋居然能造得既好看，又实用。造这种圆形的房屋，是有一定的步骤的。第一步工作是，先用每块约五十磅重的石头，堆成地基。石头的搬运是个大工程，由奴隶们用绳子绑在石块上，从石头的产地把它拖到应该放置的位置上来。每次都有上千人在一起工作，所以进度还是很快的。屋子的地基是圆形，直径在一百五十英尺到二百英尺之间，这是外层围墙。外层围墙里面，再造上一圈，两圈之间，约相距十英尺。在内外两个圆圈上，各留四个开口，这就是将来通到室内的出入口，然后再砌起这四个出入口的墙壁。墙基是造在地上的，砌墙的原料依然是石块。但是，对于石块的质地、重量和大小,却挑选得非常认真。先用精选的石块,码出第一层的走廊和房间轮廓的间隔,这些石块都是选匀称而整齐的,码放时要严丝合缝,以便于上面再码第二层。他们之所以要这样精细,就是为了让它能承受一整座大厦墙体的重量。至于走廊,约有三英尺宽,若是按正常人身体的比例来算,这走廊就相当于十二英尺了。房间有大有小,似乎是按照将来做什么用为标准。在这圆形房屋的中心点,留有一片空场,直径约十英尺。周围的房屋逐渐盖高起来,但中间这片空场却始终留着,因此,直到房屋完工之后,这块圆的地方,就形成了个通气的大圆筒,从地面直通到屋顶。

最底下的一层建好之后,即顺着走廊整个的长度,间隔地做成一个个连接的拱顶。这种拱顶高约六英寸。拱顶是用木条和木板,以简便的方式牢牢地咬合在一起的。它们与墙体的周边相连,用木榫加以固定。由于拱顶是沿着房间外的走廊建造的,为了使内墙和外墙与走廊的拱顶齐平,走廊拱顶与房屋内墙之间的空隙,都用小块的砾石填满。房间的天花板用见方的硬木檩条封顶,较大的房间还以木柱做支撑。在屋顶的檩条上,再盖上密接的木板,板与板之间,用木榫钉牢。这种房间,比没有天花板的走廊要高,为了解决这个高低不平的问题,所以支着许多大锅,熬着一种天然的土沥青,溶化后,倒在低的地方,使其高低一致。就这样,用砾石和土沥青把它填高,然后再建筑第二层。第二层的造法,和第一层完全一样。

国王阿顿卓哈基斯的皇宫,造法也是这样的。皇宫的直径是二百二十英尺,高一百一十英尺。共有三十六层,可住八万人。真可以说是矮人国里的摩天大楼了。城中共有十幢这样的圆屋,以王宫为最高大,其他的比王宫要小些。这十幢圆屋,共可住五十万人。其中三分之二的人都是奴隶,他们绝大多数都充当工人和仆役,另外还有五十万是造屋的手艺工人,他们的手艺并不精,都分住在若干个石矿中。造屋的石料,就靠他们在石矿中凿出来。矿内的道路和住室,都用粗大的木材支撑着,十分安全,房中设备也还不错,所以住在石矿中的奴隶们,觉得很舒服,和圆屋里住着的人相比,似乎不相上下。这座城池,本来就是建在古代产石头的地方,所以排水的结构很讲究,因此住在底层的奴隶们,并不感到潮湿。

圆屋当中,因为有了那个通气的大圆筒,再加上有许多窗户,所以空气非常流通。窗户就建在外围的墙上,墙上每隔若干尺,一定有一个窗子,空气和光线,都能从窗子透进来。各个房间,在窗子和通气洞之间,都点着一种燃烧很慢,而且无烟的蜡烛。

泰山对于这些圆屋,都进行了仔细的考察。对于正在建筑中的新圆屋,就更加注意。因为考察已建好的圆屋,只能看出它的构造,而观察正在建筑的新屋,更可以明了它的建筑步骤。泰山经常和柯莫多弗劳伦萨王子和他的朋友们,学习他们国家的语言,听懂了他们的话,一起交谈,更可以知道许多关于他们的事情。

泰山从他们的谈话里得知,城中的奴隶,是他们从战争中俘获的俘虏,也有些是俘虏们的后代。甚至有些奴隶,已经是俘虏的几代子孙了,他们对于自己的身世,早已茫然无所知了,只以为自己是阿顿卓哈基斯国王统治下的特劳汉纳特尔玛苦斯城的人民呢，并不知道自己与别的民众有什么两样。国王对俘虏并不虐待，尤其对他们的第二代子孙，甚至可以说已很优待，并不强迫他们做工。新捕获来的俘虏和他们的子女，都和手艺工人住在一起，他们却是要做苦工的，譬如矿工、石匠、泥瓦匠等等，他们之中，约有一半的人，因劳累过度而死亡。俘虏的下一代子女，就有受教育的权利了，如果能有一技之长，就可以蒙国王的准许，从石矿上搬到圆屋里居住，他们的生活，也会变得宽裕舒适得多。其中也有非常幸运的，从此飞黄腾达起来，一跃而到王宫中去。有的由于婚姻关系，有的由于贵族的提拔，都会有升迁的机会。特劳汉纳达尔马库斯城中，等级观念似乎不是那么强，上层的人非常乐意提拔下层的人，只要你真的有什么特殊的专长。

泰山也发现了他们等级观念淡薄这个问题，曾向柯莫多弗劳伦萨王子询问，王子回答说：

"等级观念淡薄这个问题嘛，可就说来话长了，让我从头给你说起吧！在很多很多年之前，我们特劳汉纳达尔马库斯城，还在克拉玛塔玛罗萨国王的统治之下，有一次，凡尔多皮斯马库斯城的国王，派他们的武士来侵略我们，我们的武士出城应战，结果大败而归。被敌方掳去了成千的男男女女。要不是我们的奴隶们勇敢善战，我们几乎要到了亡国的地步。克拉玛塔玛罗萨国王是我们直系亲属的祖先，他在总结这次战争中，就发现了一个问题，那就是奴隶们的战斗力，比武士们强得多。他们的体格不但比我方的武士强，甚至也比敌方的武士强。武士们和王宫里的人，只战斗几分钟，就筋疲力尽，再也支持不下去了，而奴隶们却大不相同，他们在战斗中，似乎不知疲倦，竟然能勇猛地连续冲锋陷阵，他们的精力，何以如此充沛呢？这中间一定有什么道理。

"克拉玛塔玛罗萨带着这个问题思考了很久，等战事平息了之后，国王召集了全城没有战死的主要官员，其实，毋宁说是全体官员开会，向他们指出，我方这次失败的原因，是由于我们的武士身体太弱，并和大家共同讨论，究竟该如何改变这种现状，那些官员们都面面相觑，无人作答。只有一个受了重伤，失血过多的年轻人，指出了奴隶们比武士们身体强壮的事实，并提出了一个补救的办法。

"我们这一族人，是最古老的密纽尼安族人一脉相传下来的。我们历代的国王禁止城里人和城外人通婚，因此，我们城内的民众，一向缺少新鲜血液，因而种族会退化。而那些奴隶们则不然，他们本来就是俘虏，当他们在本地时，可以和很多外界人通婚，接受了不少新的血脉，因此，种族也得到了改良。正是因为这个缘故，他们比我们强壮，我认为，这是个无庸争议的事实。这名年轻人要求国王下令，先从武士这个阶层做起，让他们和奴隶通婚，并且命令每一个武士，必须挑选一个女奴隶做妻子。在开始的时候，有人反对这种做法，可是国王确实有远见，他坚定不移地接受了这个提议。首先他自己先以身作则，在奴隶中选了一个女人做妻子。这样一来，自然带动了下面，同时，国王又用严厉的命令督促着，于是，娶奴隶做妻子，就成了一种风气，在国内普遍起来了。

"娶奴隶做妻子之后，所生下的后代，果然见了成效，我们的子孙，明显地身体转弱为强了。现在，你不是也看到了吗？我们特劳汉纳达尔马库斯城的武士们,多么强壮!多么勇敢!可以说,在密纽尼安族人之中,可以数第一了。

"我们自古以来的敌人,就是凡尔多皮斯马库斯城的人。他们也学着我们的样子,实行起与奴隶通婚的新政策。因为他们从我们这儿掳去过俘虏,从他们的供词中,知道了这件事。但他们实行这个政策,却比我们要晚几代人了。这种通婚的制度,现在都习以为常了。我们掳来的奴隶,其实也就是其他城里的武士,从这一点看来,和奴隶通婚,并不是什么降低身份的事。这个方法收效之后,每逢有战事的时候,双方都有意抢夺美丽的女人,这样,以求得强健而貌美的新国民。

"我们王室,之所以能够传到现在,是沾了这个做法的光。我们的祖先,本来有一种遗传的癫狂症,想不出什么办法能让它不传给子孙。但是从这个新政策实行之后,由于女奴隶们的新鲜血液,起了消毒的作用,这种病竟不治自愈了。从此以后,等级尊卑等等观念,也就自然而然地打破了。最底层的人,也可以擢升到最高层。而且,王室的公子,如果不娶一个女奴隶做妻子,别人反而会对他有看法的。"

泰山听了之后,问道:"请恕我冒昧,我想问问你的夫人,是不是也是在战争中,从别的城市抢来的?"

柯莫多弗劳伦萨答道:"我还没有娶妻呢。我们现在正准备和凡尔多皮斯马库斯城打仗,因为从那儿来的奴隶们,都说他们城里的公主,是一个绝世的美人,她的名字叫珍萨拉,她和我是没有血缘关系的。大家都认为这个公主,应该给阿顿卓哈基斯国王的儿子做妻子。"

泰山又问："你怎么知道她和你没有血缘关系呢？"

柯莫多弗劳伦萨王子说："我们不跟他们通婚已经有好几代人了。虽然他们也想抢我们王室的女人，可是他们没有这种力量和幸运，始终没能劫取到我们王室的女子，因此，只好到别的较远的城里，去寻找他们的配偶。现在凡尔多皮斯马库斯城的国王，名叫爱克莫尔哈格，也就是珍萨拉的父亲，他的妻子，是从很远的一个城里抢来的。而且从我们的历史记载来看，我们也从来没抢过凡尔多皮斯马库斯城的女俘虏。从这几点看来，如果真能抢到珍萨拉，她倒真是我理想的妻子。"

泰山又很好奇地问："但你们之间，怎么能有爱情呢？你跟她一点关系也没有，而且连面都没有见过呀！"

柯莫多弗劳伦萨王子听了这话，笑了笑，耸耸肩说："何必一定要有爱情呢？将来她和我结了婚，如果生了儿子，那么这孩子就是未来的国王了，王太后的这份尊荣，就足够维系她对我的心了。"

有一段时间，柯莫多弗劳伦萨王子和他的父亲以及武士们，由于要去攻打凡尔多皮斯马库斯城，有许多战备工作要做，所以泰山就没有人陪伴了，他反而觉得自由得多了。他可以随意到处走走看看，几乎这里的每一种事物，都能引起他的兴趣。他看奴隶们做重体力活，建造圆形房屋，进度很快。有时泰山也到田野里去，看另外一批奴隶干农活儿。看他们用一种小小的犁，前面用小羚羊拖着。凡是第一代或第二代奴隶在工作时，旁边都有武装的兵士监视着。派武装兵士有两个作用：一方面是保护他们，因为奴隶们是手无寸铁的，如果有敌人或野兽来袭击，他们将无法抵御；另一方面也是防止他们逃走，或者联合起来，图谋不轨。这些奴隶，都穿着绿色的制服，下端长及膝盖，胸前和背后，都有一个黑色的符号，标明他们的出生地和所属的主人。有一部分做公共工作的奴隶，是直接隶属于国王的。在乡间，人们的地位，大多是以所租土地的多少，以及拥有奴隶数目的多少为标志的。

在城里，有几千名的奴隶，都穿着白制服。这些人，是经他们的主人提拔过的，有的监督低级奴隶工作，也有的经营买卖。他们的行动较为自由，但也和一般的奴隶一样，脚上穿着草鞋，制服的前后，各有一个红色记号，标明他们所属的主人。第二代奴隶的制服上，还有一小块绿色的标记。另外一些头上有标记的，大概属于高级奴隶。也有把标记做在袖子上的，也表明他的职业，如厨工、理发师、金银匠、陶瓷工以及王宫中的仆役等等。无论是哪一种奴隶，只需看看他制服上的记号，就可以知道这个人属于什么职业，他的主人是谁。

武士的财富，往往从他们所用的金银器皿的精美程度，以及数量多少来看。这些金银器皿都由精于工艺的奴隶们制造出来，卖给他们。因此，有技术的奴隶都很忙碌，除了有时也出门做生意之外，大多数时间都用来埋头打造金银器皿。有些家庭，则专门从事农业，也有豢养羚羊的，不过这一类粗活，往往由奴隶给主人代劳。但是，专门畜养当坐骑用的小王羚，却是一种很受重视的高尚职业，这种人的地位并不低于武士。即使国王的儿子，也得自己喂养和训练自己乘骑的羚羊呢。

泰山就在这种走走看看之中，度过了不少日子，他考察并弄懂了很多事，感到心满意足。他曾向这个城里的人询问过，如果想走出这个荆棘围绕的世界,该从哪里走?这个国度里的人,没有一个能回答他这个问题。他们都说,这个荆棘圈子,是不能逾越的,连野兽也穿不出去,他们自有生以来,只知道这个荆棘圈子以内的事。泰山并不急于想走,他在这里生活得很自由,很舒服,看着这些比自己小得多的矮人,小至如何生活,大至如何治理国家,他都觉得很有趣。但是,终究有一天,他必须走出这个荆棘圈子,这个念头,在他心里始终没有泯灭过。

但是,有一天早晨,东方的天空刚升起第一缕晨曦时,突然的变故发生了。

七
战争突发

那个被泰山带出来的阿拉里男孩,突然有一天不见了泰山,他焦急地在森林里跑来跑去。在他简单的头脑里,只记得泰山一个人是可亲可信的,如今找不到他了,他非常失望。后来,他又遇见了两个比他年长的阿拉里男人,他们三个人就在一块儿共同打猎,过起了三个人的小集体生活。他的两个新朋友,用的还是阿拉里族的旧武器,木棍和石刀。

森林里的树皮下面,或者地上的烂泥底下,都藏有一种小虫,有时他们可以拿来充饥。野生水果、硬壳果和植物的块茎则是他们最普通的食物。但是那个第一个女人的儿子与他的两个朋友的生活方式恰恰相反,他不找这些现成的东西吃,而专找飞鸟和羚羊,他使用长矛和弓箭的手法已经很纯熟了。一见猎物,得心应手地就能捕获到。他的食物问题,当然不用担忧了。他打到的肉食常有富余,就分给两个新朋友吃,因此他们都很敬重他。他这两个朋友也常因此担忧,生怕阿拉里女人窜到森林中来把这男孩逮回去,那样他们可就没肉可吃了。

这孩子的两个伙伴渐渐对他产生了疑惧。因为他们看这孩子趾高气扬,步子很大,也很沉着,绝不贼头贼脑地向四下观望。

他们认为这孩子太不知天高地厚了，若是有一天被凶悍的女人抓住头发，倒拖回石洞中去，她的木棍会打得他晕头转向的。

他们担心的事果然发生了。有一天，当他们三人正在森林空场上时，碰到一个又高又大的凶悍女人。那两个成年男人吓得拔腿就逃，走到丰茂的草丛里才站住。但那孩子却站在那儿一动不动，似乎想和那女人较量一番。当那两个人回头看时，只见那女人也不再追赶了，那孩子竟迎着女人的面站着，做手势要那女人走开。那两个男人见他竟敢这样大胆，都不禁为他着急起来，他这样，不是被那女人抓去，就是被那女人打死，这孩子怎么这样不知道利害呀！但也幸亏有这孩子，挡住了那女人，才使得他俩能够脱险，因为他们知道，那个女人只要抓到一个男人，就不会再抓了，她不可能同时抓几个男人的。

阿拉里的女人欺侮、虐待男人已经成了习惯，看见眼前这情形，自然十分恼怒，这不是要造反了吗？于是她在二十步之外站住了，想用飞石去打那男孩。但是，没容她的飞石出手，那男孩的一支箭，早已飞到了她面前。

那两个朋友，藏身在树后，偷偷地看着，只见那女人一下呆住了，有一支带着羽毛的长杆，刺中了她的前胸，她的手在空中抓了几下，就痛苦地倒在了地上。倒下去之后，还见她挣扎了一会儿，到最后就不动弹了。他们三个人，都不约而同地朝女人跟前走来，几乎同时到达。那男孩从女人胸前抽回了他的箭，那两个朋友对这男孩真是又惊羡又佩服，只见他昂着头，挺着胸，显出十分威武的样子。阿拉里族的男人中，从来没有一个这样扬眉吐气。看他现在这副神情，真有点以英雄自命了。这孩子见两个朋友都看呆了,心里十分高兴,越发想卖弄一下。他把那女人的尸体,拖到附近的树边,让她坐着,靠在树干上,然后他走到二十步以外,用手势告诉那两个朋友,让他们仔细看着,他把长矛向女人掷过去,正刺中女人的胸膛,竟把她钉在树身上了。

两个朋友见他竟有这么高明的本领,越发惊诧,不禁自己也想试一试。那男孩并不拒绝,第一个朋友接过矛来,也照着男孩子的姿势掷出去,却没有刺中。第二个朋友试了试,也一样失败了,没有一个能像男孩那样得心应手。这两个朋友不甘心,又借男孩的弓箭来试射,结果也像掷长矛一样失败了。这下可引起了他们的兴趣,一口气练习了几个小时,一直到感觉肚子饿了才停住。男孩答应把这些技术慢慢教给他们,甚至连武器的制造方法,也毫不保留地教给他们,两个朋友自是欢天喜地。其实,他们自己并没有觉察到,在阿拉里族的历史上,这可是一件大事,几乎可以说是一次大的变革。那些阿拉里女人也绝不会料到,她们长期奴役男人的日子,已快到尽头了。她们更不会知道,就在今天,她们之中的一个,已经破天荒地遭到男人的重大打击了。她们还被蒙在鼓里,还在修葺她们的石洞呢!

泰山安然地住在特劳汉纳达尔马库斯城中,一件事的发生改变了一切,结果不堪设想。

泰山的住处,前面已经说过了,是在特劳汉纳达尔马库斯城边的一株大树下。这天早晨,第一道晨曦刚照到特劳汉纳达尔马库斯城东的森林顶上,泰山还没有起床。忽然,一种奇异的声音从地层底下传过来惊醒了他。

泰山凝神细听,渐渐听出声音是从地面上传来的,距离并不远,并且越来越近。泰山开始听不出是什么声音,后来,他突然意识到了什么,立刻坐了起来,毫不迟疑地向一百码以外的王宫奔去。跑到南门的前面,泰山连忙对守卫说:"快去报告你们的国王,就说泰山听到许多羚羊的脚步声,冲向咱们这座城来了。如果泰山估计得不错的话,每头羚羊的背上,都骑着一个准备作战的武士!"

守兵见泰山郑重地叮嘱,一点也不敢怠慢,急忙奔进走廊里呼喊起来,喊了几声之后,他又仍旧奔了出来,守在自己值勤的岗位上。接着,有一个军官,率领几个武士,匆匆跑了出来,走到泰山和守兵的面前。

那军官问守兵:"出了什么事?"

那守兵毕恭毕敬地答道:"国王的宾客说,他听到许多骑兵的声音,正朝咱们这座城市奔来。"

那军官又转过身来,很客气地问泰山:"不知骑兵是从哪个方向来的?"

泰山指着西面说:"我听是从那个方向来的。"

那军官听了,高声说:"那一定是凡尔多皮斯马库斯城派来的军队!"他转身对一同来的兵士们说:"事不宜迟,赶快去叫醒全城的民众,我去叫醒国王和王宫里的人,咱们赶快分头去。"说完,他很快就跑走了,其他的人也分散喊人去了。

只一会儿工夫,泰山看见好多武士,从那十幢圆屋中纷纷出来,秩序非常好。从屋子南北两个门出来的是骑兵,从东西门出来的则是步兵,他们非常有纪律,一点也不慌乱。泰山暗想,他们在突发事件面前能够做到这样,必定是平日训练有素的缘故。

这时，有一小队前哨骑兵已到达城的四周，呈扇形分散，包围了整个城。接着，特劳汉纳达尔马库斯城这边的骑兵，分东、南、西、北散开，正好分布在前哨部队的阵线之内。这四小队骑兵，看样子战斗力都很强，足以抵挡敌军。前哨部队随时可以向主力部队报告敌情，主力部队就可以随机应变，指挥接应。

另一队主力骑兵，继四个小队之后出发，向西门迎敌。步兵也从圆屋中出来，分成四队，向四个方向散去，其中向西的一队人数最多，都驻扎在离城不远的地方。从圆屋中最后出来的部队，步兵和骑兵都有，他们驻守在房屋的四周，这是后备部队。国王阿顿卓哈基斯也亲自上阵，全面指挥。

柯莫多弗劳伦萨王子也率领主力骑兵出发了，王子带的主力骑兵是全军的精锐，战争胜败的关键也多半在这支部队身上。这一队共有七千五百人，驻扎在离城三英里之外。在他们的前面，约半英里处，有四支骑兵冲锋队，每队五百人。前哨部队也是五百人，在冲锋队前面的半英里。每隔二百尺，有一个步哨，特劳汉纳达尔马库斯城的周围，长度约有三英里，五百人正够分配。这样三路，共有军队一万人。守在城中的后备部队则有一万五千人。

这时，天完全亮了，泰山看着矮人们的军事部署，不禁暗暗佩服。他们的行军井然有序，人人脸上都有一种奋勇向前的神色，找不到一丝恐惧和紧张。当他们走过泰山身边时，泰山看到他们扬扬得意，不像是面临战阵，倒像是胜券在握的样子。这样勇敢善战的部队，当然不用什么呐喊的方式来鼓舞士气了。

敌方羚羊的脚步声渐渐能听到了，也许他们的前哨部队，已经探得了敌情,因而停止了行军。也许他们变更了作战计划,等待弄清情况后再重新进攻。泰山问身旁一个军官,是不是敌方察觉了这里已有准备,不准备再进攻了呢?那军官摇摇头,答道:

"密纽尼安族既已出兵,从来没有中途放弃进攻的事。"

泰山知道战争在即,就不再多问。这时,他的目光只凝视着那十幢圆屋。太阳已经升高了,阳光照在小山似的圆形屋顶上。这十幢房屋,各有二三十层高,每一层都有多扇窗户。这时,每扇窗户里,都守卫着一个武士。每个武士都执着长矛,身旁都堆着一堆圆石块,泰山看着,忍不住笑了,他想:这样布置,对战事来说,固然很周密,但是圆屋里那些奴隶,他们会做什么呢?他们会不会趁着战乱之际,背叛主人逃跑呢?他把这个想法说给了身边一个军官,等待着他的回答。

那军官指了指最近一幢房屋的出入口,让泰山看。泰山看到那里有一队奴隶在铺路,旁边有一队步兵,背倚着长矛,在监督着他们。

接着,那军官又对泰山说:"你看见了吗,还有一队武士,驻扎在入口处。万一敌人攻进城来,外面的军队,被逼退入圆屋,或被杀死,或被俘虏,屋内的军队,仍可和敌人对抗。那里因为地势好,甚至可以以一当十呢!就凭这个布置,就不必担心奴隶会趁乱逃跑。而且,我们特劳汉纳达尔马库斯城,从来没有失陷过。敌方的目的,本来也不在争城夺地,他们不过想逮些俘虏走罢了!但他们也往往被我们俘虏过来。他们有时乘夜里来进攻,也只是想抢走几个女人和一部分财物。但是现在,你看到的,我们布置得如此周密,敌方的计划,恐怕无论如何都不能得逞了。据我的观察，这次战争不必调用步兵，只用骑兵，就足可以胜过他们了。"

泰山问："骑兵的布阵法，我已经看见了，你们的步兵是怎么布置的？"

那军官说："有五千步兵都驻守在圆屋内，还有五千人在后备队里。在城外约一英里的地方，还有四队步兵；在城里，城南和城北各有一千人，城西的一队，人数最多，有七千人，因为今天敌人是从西边来的。"

泰山问："这样说来，你认为敌人不会兵临城下吗？"

那军官说："我估计不会的，比较精锐的骑兵队，已经开赴前线了，他们一定能够抵挡得住敌人。我认为步兵只需手执武器，以防万一就够了。和敌军作战的主力一向都是骑兵。"

泰山所问的这个人，正好是步兵，他不禁好奇地问对方："你既然认为步兵没有机会冲锋陷阵，没有用武之地，自然也难建功勋。那么，你为什么不当骑兵呢？"

那军官笑了，说："啊！不是这样的。我们虽有步兵和骑兵之分，但都不是固定的，武士们是可以轮流当的。一年之中，有四个月要当步兵，然后有五个月当骑兵。其他的月份则任监督的任务。所以我们的兵士，从这个队调到那个队，是常有的事。"

泰山向西面望着，他见附近的部队，都很沉着，似乎在等候敌人的到来。主力部队离泰山约有两英里路，但由于他们人多，占地较宽，所以泰山从老远就看得见。泰山斜倚在长矛上，看着这一切，觉得这些矮人们应付战局的能力真强，实在让人佩服。他暗想，即使在文明社会中，遇到大敌当前，仓促备战，恐怕秩序也没有这样好,士气也没有这样高呢!

最后一拨先头部队已经开拔。略微平静之后,泰山便走到国王那儿去,这时国王正骑在羚羊背上,四周有很多高级军官簇拥着他。国王穿着金盔甲、皮外衣,皮外衣上有金纽扣,胸前有一条较宽的厚皮带,有三颗金纽扣扣着,好像一条护胸甲。带子上挂着带鞘的刀和小宝剑,上面也都镶有金质,而且都镶嵌成图案,非常好看。绑腿也是皮的,上到膝盖。两臂上也有金质的护臂甲,鞋子是系着皮带的绵草鞋,足踝处各有一块方形的、金的护踝板。头盔外面戴着皮制的盔帽。

国王一见泰山,带着笑容表示谢意说:"军官们告诉我,敌人来进攻是你首先发现的。上次你救了我儿子的性命,这次又首先向我们报告了敌情,使我们不至受到突然袭击,我真感激不尽,我们该怎样报答你呢?"

泰山谦逊地笑着说:"国王!你不必谢我。如果你能允许,让我和王子并排站在一起,我就很荣幸了。"

国王很高兴地说:"好的,你的要求,我当然答应。只要我活着一天,我愿意和你做永远的好朋友。泰山,你想到哪里去都可以,我们是好朋友,无须我的批准。"

自从泰山到这里之后,这里的人直呼泰山的名字,这还是第一次。原先他们只称呼他是"王子的恩人",或"国王的贵宾""丛林巨人"等等尊称。按照密纽尼安族历代相传的习惯,人的名字是神圣不可侵犯的,只有亲属和知心朋友之间才能够直呼其名。如果随便叫了别人的名字,那是一种冒犯,是很失礼的行为。现在国王既然直呼泰山的名字了,不言而喻,他已经把泰山视为知心朋友了。

泰山在这里住了这么久,当然知道这个风俗习惯的,连忙鞠躬答谢说:"感谢国王,我已光荣地得到了你高贵的友谊,我真感谢你,我会十分珍贵地终生保留着这份友谊。"

泰山讲这话时,声音很低,看出他不是出于一时激动,而是由衷的恳切之言。泰山已经熟悉了国王的性格,有不少的矮人们告诉过他,国王是喜欢听恭维话的,泰山此时,十分得体地说了上面的一段话。

国王听了泰山的话,果然十分高兴。泰山见国王已经答应了,就退下身来,向前线走去。他为了保护自己,就折了一根树枝拿在手里,一旦有什么意外情况,可以当作兵刃。

王子看到泰山来了,就催动坐骑来迎接他,他见泰山肩头上扛着一根树枝,有点莫名其妙。

泰山向王子问道:"有什么新消息吗?"

王子回答说:"我刚才已经派人去向国王报告了,我们的前哨部队,已然和敌人接触了,那些敌军,已确知是从凡尔多皮斯马库斯城来的了。我们有一队武士,已经越过了敌方的步哨,其中有一个最勇敢的武士,竟然冲到了葛托拉山顶。从山顶上,能清楚地望见敌军的主力部队,他们准备进攻了。而且从那里能看见敌军的人数,他们来了两万人到三万人……"

突然,从西面传来了一阵杂乱的呐喊声,打断了王子的话。

王子高声喊道:"他们打过来了。"

八
泰山被俘

一头受了重伤垂死的水牛,有气无力地躺卧在地上。这时,正有一只秃鹫落在牛角上,想趁火打劫地啄食那头水牛。正当它琢磨该从哪儿下嘴的时候,忽然听到附近丰茂的草丛里有了声音,一头母狮从草丛中向它们走来。秃鹫并不害怕,因为它可以不等狮子走到,就腾空飞起。哪知这次秃鹫却遇到了意外,缠绕在它颈项上的金链子,这时又缠上了牛角。当它想起飞的时候,竟飞不起来,急得爪子乱抓,屡次鼓起翅膀,屡次又都脱身不得。

秃鹫在那里不停地挣扎,母狮不明白到底发生了什么事,就好奇地站在那里看它。那秃鹫鼓翼舞爪,样子非常奇怪,母狮从来没见过秃鹫会有这种动作。狮子是一种敏感的动物,它看这只秃鹫不同寻常,开始感到奇怪,后来反而感到有点害怕了。它莫名其妙地把秃鹫端详了一阵,竟转身向荆棘丛中走去了,临走时低吼一声,仿佛在对秃鹫说:"你别来追我,我饶了你啦。"它根本不可能明白,那秃鹫自身难保,哪里还有追它的心?秃鹫自己也没料到,那要命的金链子,已把它死死地拴在这里,它再也不能捕食任何禽兽了。

柯莫多弗劳伦萨王子喊道:"他们打过来了！他们打过来了！"

泰山的身体,本来比矮人高得多,他站在那里,放眼往平原上的敌方望去,见敌军正在前进,便对王子说:"王子！情况不好,我们的步哨败退了。"

王子问:"你能望得见敌军吗？"

泰山答道:"是的,我能望见。"

王子急切地说:"请你告诉我敌军的动静。"

泰山说:"他们分成了几个队,行列都很长,向咱们这方面冲过来了。咱们的步哨正在退却,准备在前线那里固守。看样子恐怕要被攻破,咱们的阵线即使不被第一排敌人冲破,也一定会被后上来的几排冲破的。"

柯莫多弗劳伦萨王子马上发出了一个简短的命令,命令一千骑兵向前冲去。他们骑的羚羊跳一步有五六英尺,很快就到了前线,分散开来。

另外一千骑兵,也向前冲去,向左翼增援。根据泰山的报告,敌军分成了两队,在前线进攻,一队进攻特劳汉纳达尔马库斯军的左翼,另一队进攻右翼,看形势,他们是准备进行包抄了。

王子对泰山说:"敌军这样勇敢敏捷,只是想多捉几个俘虏。"

泰山说:"现在敌军的第二行和第三行,已向中央靠拢了,并且直向我军冲过来了。看,他们已经攻到了前线,我们的守军,在用短剑和他们进行肉搏战呢。"

王子于是又派人送信给后方。他知道前线的战事激烈起来,就对泰山说:"现在,我方和敌方已经正式交锋,你应该回到后方去,如果你留在这里,用不了几分钟,敌人就会包围你。他们冲过来的时候,我们一边和他们肉搏,一边也要向城里退却。如果他们想打进城去,这一进一退之间,形势会非常紧张。假如他们的目的不在攻城,只抓几个俘虏就够了的话,我军在退到步兵守地之前,是会发生激战的。他们仗恃人多,会从我们这边逮走几个俘虏,但我们也会从他们那里逮几个。我希望你还是快回城里去,现在马上动身,还为时不晚。"

泰山说:"不,我还是想留在这里。"

王子着急了:"不行,他们万一把你掳过去,也许会杀死你呢。"

人猿泰山笑了笑,挥了一下手里的树枝说:"我不怕他们。"

王子说:"你不怕他们,是因为你不了解他们的缘故。你以为你身体高大,就这样自信,其实,你的高度,也只有我们的四倍。现在敌军有三万人,都拥上来向你进攻,你怎么抵挡得了?"

敌方的进攻,确实非常迅速,王子再没有时间催促泰山了。他本来是很钦佩这个巨人的,但这一次,他却觉得泰山太疏忽大意,太轻敌了。王子非常感激他的救命之恩,深恐泰山遇到危险,但他现在忙于指挥战争,实在无暇顾及泰山了,因为敌军已经逼近了。

泰山看见那些矮人,骑在羚羊背上,向前冲过来,他们一队又一队的,冲过平原。泰山不禁联想到海水,如果只取其一滴,并没有多大的力量,若是聚在一起,成为大海,那可就波涛汹涌,成为一股巨大而又可怕的力量了。泰山看看自己手里那根树枝,依然满不在乎地笑了笑。

接着,又有两行敌军冲到了,和特劳汉纳达尔马库斯军增援的一千名骑兵,展开肉搏战了。每个人都认定一个对手厮杀起来,都想把对方打下羊背。双方各自用短剑刺杀,有时抛出长矛,也能取得战果。有些羚羊,背上的武士已经死了,它们却还在那里东冲西撞。有的坐骑受了伤,武士就夺来敌方无主的羚羊,据为己有。忽然有一个武士,把一只羚羊高高举起,向特劳汉纳达尔马库斯城的一个战士抛了过去,趁对方躲闪不及,又一剑劈去,把他刺下了羊背。这时,激烈的战斗,已渐渐逼近泰山站的地方了。

泰山见敌军挨近自己身边,想用自己手中带叶的树枝,扫荡过去,但自己这方的武士和敌军混战在一起,他怕伤了自己的人,所以无从下手。他把树枝举得高高的,守候在那里,等第一批军队过去之后,剩下的都是敌军了,他准备用树枝横扫,以打退敌军的主力。

泰山看见敌方的武士们,抬头看见自己,脸上都露出惊异的神色来。但是看得出来,他们并没被泰山吓住,只听他们在高声呐喊,似乎在招呼战友们,向泰山进攻。泰山这时为了自卫,只好挥动树枝,把他们扫开。但刚对付完第一线的散兵,接着,大队的凡尔多皮斯马库斯城的军队,竟像潮水般涌来,泰山的树枝,已经扫不过来了。

那些小骑兵,并不想从泰山身边逃开,反而一队一队地向他冲去。泰山看树枝已经起不了多大作用了,索性把它丢掉。用他的大手,把小骑士们抓下羊背,对冲过来的敌军掷去。他快速抓一个扔一个,抓一个扔一个,扔得很高兴。但是凡尔多皮斯马库

泰山见敌军挨近,想用手中带叶的树枝扫荡过去。

斯的军队,却毫不畏惧,向他冲过来的越来越多了。

敌军骑在羚羊背上,不断向泰山冲来。一个武士催动羚羊,使足了劲向泰山冲来,羚羊往起一跳,羚羊头撞在泰山的胸口上,来势非常之猛,泰山不禁倒退了两步。其他的羊也来撞他的腿和身体。

那些小武士,都拿剑来刺泰山,泰山感到他们的剑刺在身上,像针扎一样,泰山褐色的身体上,从脚到大腿部,都有了伤处,不断在流血,他自己也不知道被刺中多少下了。他的武器既然发挥不了作用,索性不再用武器,赤手空拳来对付小武士,小武士也不知被他打倒了多少。

泰山眼观六路耳听八方。敌军的身高只有他的四分之一,无敌的丛林之王泰山,居然被这些矮人们围困在中心脱不了身。他也看到,凡尔多皮斯马库斯围攻他的军队越来越多了。

这时候,特劳汉纳达尔马库斯城的军队,边战边退,已经退到步兵的驻扎地了。七千名步兵,上前来抵挡敌军,又发生了一场恶战。在这场战斗中,泰山本打算只做个旁观者,可是现在不行了,自己已经被卷进战争,想要抽身离开都办不到了。

接着,泰山的胸口又被一个小骑兵猛撞了一下,他的身体不由得晃了一晃,还没容他站稳,第二个武士又上来撞了他一下,正好撞在他的胸部,这一下,泰山被撞得倒在地上。他还没来得及挣扎着起来,敌军数不清的骑兵像蚁群一样涌来,从泰山的身上踏了过去,泰山几乎被埋在了羊蹄之下。这样践踏了一阵之后,他忽然一阵晕眩,人事不省了。

九
珍萨拉

　　当泰山从昏厥中醒过来的时候，他发现自己躺在一间大屋子里的地上。他当时神智尚未完全复原，只是迷迷糊糊地睁了睁眼，觉得这间屋子很大，但光线并不怎么充足。他又发现，在他旁边还有几个人躺在那里。他慢慢地定了定神，再睁开眼细看时，见室内点着两支极为粗大的蜡烛，看上去直径足有一两尺，已经烧去一段了，此时剩下大约五尺长。每根蜡烛的芯几乎都有人手腕那么粗。泰山仔细看那蜡烛，跟我们平常的蜡烛没有什么两样，可是，奇怪的是点燃起来时，绝对没有烟，再看蜡烛上方的木椽及天花板上，也没有被烟熏黑的痕迹。

　　整个这间大房子里，最引人注意的就是这对大蜡烛了，所以泰山最先看到的就是它。现在泰山已经完全清醒，他开始注意屋里的人，在屋里活动着的，有一百多个和泰山一样高矮的人。但是看他们的服装和武器，却和特劳汉纳达尔马库斯或凡尔多皮斯马库斯的矮人一样。泰山心里暗暗纳罕，在战场上看得清清楚楚，他们分明只有自己四分之一高呀！什么时候竟变得和自己一般高了呢？泰山皱着眉头凝视着他们，心里暗暗揣测，他们是些什么人？自己现在是在什么地方？

泰山渐渐觉察出自己身上很疼,两条胳膊感到十分沉重,动弹不了。他想伸展一下身体,可是办不到,他意识到自己的双臂被反绑在背后了。他伸了伸腿试试,两腿倒是没被绑住。他觉得自己全身疲惫无力,挣扎了半天,好容易才坐了起来。看看屋子里头,全是武士,那样子跟凡尔多皮斯马库斯的人差不多。但他们很高大,和普通的人一样大,这屋子也很大。屋子里还放着长椅和桌子,有的坐在长椅上,有不少人躺在地上,有少数的几个人在走来走去地工作着。泰山这时才发现,屋里多数人是受了伤的,有些甚至伤得很重。那些走着的人,原来是为他们做看护工作的。这些看护者都穿着白制服,好像在特劳汉纳达尔马库斯城内看到过的高级奴隶一样。室内除了伤员和看护之外,还有六个没受伤的武装士兵。其中有一个士兵发现泰山坐了起来。

士兵叫道:"嘿,你们看,这个巨人醒过来了。"

他说着走向泰山,站在了泰山的身边。他叉着两腿,站在泰山面前,看着泰山,不怀好意地笑着说:"你仗着自己高大,欺侮我们,你看看,现在我们不也成了巨人了吗?"

说着,他回头看着他的同伴们,得意地大笑,他们也都跟着他笑。

泰山看了看周围这些景象,明白自己已经做了俘虏,四周的人都是敌人。他原先有过的野兽一样的性格,这时又回到他身上来了,于是他就隐忍着,一声不响。两只眼睛闪着凶光,睥睨地看着那些武士,好像野兽预备向猎物进攻时一样。

那个武士对他的同伴说:"你们看,他是个哑巴,好像住在石窟里的那些凶悍女人一样。"

另一个武士说:"说不定他就是他们的同族呢!"

第三个武士又插嘴说:"不错,他大概就是阿拉里族的。"

第一个武士却发表了不同的意见:"可是,阿拉里族的男人全是懦夫,这个人却又不像,他打起仗来很勇敢。"

于是大家七嘴八舌地谈起来:"是的,他赤手空拳,却很勇猛,直到倒地起不来。"

"我看见他把人和羊都扔出去,扔得好远啊,就像阿拉里人扔石子一样。"

"我看见他站在一个地方,一动也不动,打仗时脸上还带着笑容呢,好像他拿打仗就没当一回事儿。"

"他也许真不是阿拉里族的人,咱们要不要试着问问他?"

第一个说话的武士就向泰山问起话来,但泰山仍旧盯着他看,并不答话。

那个武士说:"他不懂我的话。看他的样子,也许不是阿拉里族人。可他到底是什么人,他不开口说话,咱们也就无从知道了。"

他走上前去,察看泰山受伤的地方,说:"这伤不重,很快就会好的。七天之内,也许还用不了七天,他就又能跟人打仗了。"

然后,他们就用一种粉红色的药粉,给泰山敷在伤处,又替他包扎起来。接着,给了他些食物和水,另外还有些羚羊的乳汁。他们见泰山的手臂肿得很厉害,手指都有些乌紫了,知道是绑得太久太紧所致,于是就给他松了绑,另外去找了一根铁链来,锁在泰山的腰里,铁链的另外一端,扣在石壁上的一个圆环里。

这几个武士,满以为泰山听不懂他们的话,于是也就不背着他,随便地谈起来。他们的话和特劳汉纳达尔马库斯城差不多,所以泰山完全能听懂。泰山听他们在谈论这次战争,凡尔多皮斯马库斯方面,死了很多武士,而且被特劳汉纳达尔马库斯方面逮去了许多俘虏,算起来,没占着什么便宜,反倒吃了亏。爱克莫尔哈格国王的如意算盘落了空,但国王却认为,活捉了泰山,也可算个小小的胜利。

泰山听了半天他们的谈话,心里已经有了底,可以断定他们是凡尔多皮斯马库斯的人了。但从他们的谈话中,始终没听出来他们是怎么会变得如此高大的。泰山怎么也弄不明白这一点。泰山被拘留的地方,本来是在一处走廊里,他从窗口望出去,能看见许多人和事。他看见许多和自己一样大小的武士,骑着像高头大马一样的羚羊,在走来走去。他仔细看那些羚羊,又确实是非洲西海岸产的王羚,可是,它们怎么也变得这么大了呢?泰山无论如何也弄不明白。

到了第七天,泰山身上的伤果然好了。有六个武士进来,为他除去了锁链。他们向他做着手势,叫他跟着他们走。他们深信泰山不会说话,同时也听不懂他们的话,所以在路上他们毫无顾忌地随便谈着。从他们的谈话中,泰山知道他们是带他去见凡尔多皮斯马库斯的国王爱克莫尔哈格的。因为他们的这位国王急于要看看这个奇怪的俘虏,所以特意吩咐武士,只待他伤势好了之后,马上把他领来。

他们所经过的走廊上,都点着一种小蜡烛。这些蜡烛,都插在壁龛中。走廊两边的房间里都有烛光射出,走廊上的光线非常充足。走廊上来往的武士和奴隶也很多,然而,并不因此而拥挤,因为他们都按规定靠一边走。这里的奴隶,最高级的穿白色制服,标记则是红色的,次一等的穿绿色制服,标记是黑色的。走廊上的武士和平民,贵贱贫富都有。

泰山还注意到一件事,那就是在走廊里,每隔一定的距离,都有一架梯子,通往上边,但他从未看见有人从这一层再往下走,从这一点他判断,自己所走的这一层,是最底下的一层了。他暗想,这里的人和自己一样高,那么,他们就比特劳汉纳达尔马库斯的人高四倍了,既然这样,这幢房屋,当然也相应地高大了四倍。而阿顿卓哈基斯的皇宫,直径是二百二十英尺,高是一百二十英尺,如果按这个比例放大起来,那么,直径就该是八百八十英尺,高度是四百四十英尺,这个数字,可真是够吓人的了。如果说在文明社会里,这样高大的房屋,当然不能算稀奇,但是这里,差不多还处在原始时代,竟能建造出这样高大的房屋,这可不能不叫人吃惊了。

这时,武士领着泰山,走上了另一条走廊,到一个屋门口停住了。泰山看这里有好几排架子,架子上面,摆放着各式各样的蜡烛,还有盔甲、腰带、草鞋、外衣、餐具和各式各样的工艺品。泰山已熟悉矮人们的生活习惯,他知道,这些都是他们的日常用品。

有一个武士向外面喊了一声,一个穿白制服的奴隶,连忙答应着过来。那武士向他吩咐说:"拿一套绿制服来,给这个特劳汉纳达尔马库斯的俘虏穿。"

奴隶问:"制服上用什么样的标记呢?"

那武士答道:"他是属于赞茨罗哈格的。"

奴隶听完,转身走到架子前,取下一件绿色制服。从另一个架子上,又取下两块木板,木板上面,刻有各种不同的符号。他又从架子上拿过一种不知是漆还是墨水的东西,涂在木板的花纹上,在他制服的前胸和后背都打了印记。然后,他把制服交给泰山,泰山看见衣服的前胸和后背处,都有了黑色的记号,但他不认识这上面的文字。

那奴隶又递给泰山一双草鞋,泰山把衣服和草鞋都穿好,那武士领他到走廊,他看到这段走廊的建筑,又有所不同了,粗墙上刷着涂料,上面画着图画,都是关于战争和狩猎的,似乎是做装饰用的,墙上还有些地方用细木条镶嵌成图案,涂了很好看的颜色。墙上隔一定的距离设有壁龛,壁龛中点着五颜六色的蜡烛。在廊里守卫的都是雄赳赳的武士。这里没有穿绿衣的奴隶,只有穿白制服的高级奴隶。而且这些奴隶身上都戴着珍贵的饰物,例如珍珠、宝石和贵重的兽皮等等。

泰山越往前走,越觉得周围的建筑华丽了,蜡烛的光也越来越明亮。他们在一个大门前止了步,这门是镶着黄金的,门口站着很多服饰华丽的武士,他们拦住泰山一行,盘问起来。

领着泰山的武士回答说:"国王命令我们,把赞茨罗哈格的奴隶带来。这个高大的俘虏,是从特劳汉纳达尔马库斯城捉来的。"

那武士转过头,对另一个同伴说:"赶快去报告国王!"

进去送信的武士去了之后,那些武士的目光,都不约而同地盯在泰山身上,故意找些问题来盘问,那些护送泰山的人,却不知为什么都答非所问。过了不大会儿的工夫,那送信的回来说,国王吩咐他们快些进去。于是,那两扇很重的大门打开了,六个武士带领泰山往里走。泰山边走边看,见有几根又粗又大的柱子,顶着上面的天花板,上面涂着非常绚丽的色彩。木椽和柱子上都有精致的花纹,在护墙板上,也画着各种图画。泰山猜想,那上面画的,一定是关于凡尔多皮斯马库斯历史上的业迹,也许是这个国家里历代国王的故事。

这间屋子是个很空旷的房间,原来这就是国王的御室,只有两个武士静静地站在侧门边。他俩指示进来的武士们顺着中心通道走进旁边的一扇门去。他们推开了门,泰山等一行人进去,发现这是一间较小的前庭,里面有六个衣饰华丽的武士,坐在一条雕花的长凳上。还有一个人,坐在高背椅上,一边倾听着武士们的谈话,一边用手指轻轻扣着椅子的扶手。有时他也插入问一两句话,别的人听着,都露出非常专注的神情。他的表情,时时都严重地影响着周围的人,这人如果皱皱眉头,别人也跟着他皱起眉头来;他若露出微笑,别人就跟着哈哈大笑。别人的目光,一刻也没离开他的脸,唯恐失去向他讨好献殷勤的机会。

领泰山进去的武士,一进门就在那人面前屈下一膝,向前方斜举起一只手,低俯着身子,竭力表示对那人的尊敬,接着,这武士毕恭毕敬地说:

"至高无上的王啊!全人类的主宰,一切生物的主人,最聪明的、最勇敢的、最光荣无比的爱克莫尔哈格,凡尔多皮斯马库斯的王,我们服从了你的命令,把赞茨罗哈格的奴隶带来了。"

国王很习惯地听完了这一大套话之后,命令说:

"你站起来吧!把那奴隶带过来!"然后又对室内的武士们说,"这就是赞茨罗哈格从特劳纳达尔玛库斯城逮来的大俘虏吗?"

那些武士们齐声答道:"是的,王!您说得十分正确。"

国王又问:"那么,赞茨罗哈格所赌的东道呢?"

一个武士恭敬地答道:"聪明的王自然知道这件事的结果。"

国王又问:"你们对这件事有什么感想?"

另一个武士不假思索地说:"主宰人类的王,我们只会有和您一样的想法,不可能有别的想法。"

国王寻根究底地问:"你具体地说说,到底是什么感想呢?"

六个武士听了,你看看我,我看看你,谁也不敢先回答。距离国王座位最远的一个武士,向他的同伴耳语说:"谁知他是怎么想的呢?"他的同伴耸耸肩,又看看别人。

国王看到有人在说话,但又没听清他说什么,于是问道:

"什么?戈弗罗索!你在说什么?大点声音!"

刁钻狡猾的戈弗罗索赔着笑脸说:"我是在说,赞茨罗哈格没有得到尊严至上的、最聪明的王的指示,竟敢斗胆自作主张,他肯定会输掉这个东道,我敢说这是必然的。"

国王一脸得意的神情说:"那是当然喽。赞茨罗哈格最初向我请教过,因为是我首先发明了这个原理,把这个原理利用在具体操作上,就会使事情得到激动人心的成功。而且第一步实验应该怎样做,也是我决定的。可是一直到现在,它的效果还不完全理想,也就是说,时间还不能持久。我和赞茨罗哈格也就是在这个地方发生了分歧,分歧的焦点就是这个处方的效果能否坚持三十九个月,就为这一点,我和赞茨罗哈格打了赌。如果他输了,他就必须给达尔福斯特玛罗一千个奴隶。"

戈弗罗索高声赞美说:"真是奇妙啊!感谢上苍,给了我们这样一个饱学和聪明的王,这真是我们全国人民的幸福啊!"

国王似乎很同意戈弗罗索对自己的赞美,点点头说:"戈弗罗索,你说得不错,你们是应该感谢我的。如果我们刚刚说到的那件事能成功,那么,再没有比这件事更重要的了。问题是,我们目前的成果还很不理想,我们还必须继续努力,继续改进,总有一天,我会给赞茨罗哈格一个好处方的。到那时,这个成功的实验,将会改变我们密纽尼安人的人种。再往前展望,我们只需要一百个人,就可以出发征服全世界了。"

国王这时忽然转头看着穿绿衣服的泰山,向他凝视了一会儿,问道:"你是从哪个城里来的?"

那个领头的军官急忙答道:"尊敬的王啊!您问他吗?这个可怜的生物,他是不会说话的。"

国王又问:"他能发出声音吗?"

那军官说:"自从他被俘虏到这儿之后,还从来没开过口呢!"

国王说:"这样看来,他多半是阿拉里人,据我知道,阿拉里族那些低级的生物,是从来不会说话的,他们连声音都不会发。"

戈弗罗索赶快奉承说:"看,我们的王多聪明啊,他不出国门,居然知道阿拉里人的秘密,谁敢说我们的王不伟大!"

国王身边的另一个武士说:"我们的王从来都是明察秋毫的,他早已看出这个人是阿拉里人了。咱们这些人多愚笨呀,如果没有这么聪明的国王,这个国家还不知道会变成什么样呢!"

爱克莫尔哈格国王只顾观察着泰山,并没留神听武士们刚才的话,现在,他突然插进来说:"我看这个人不像是阿拉里人。尤其是他的耳朵和头发,一点儿也不像那些哑巴阿拉里人。他身体长得也不像,你们看他的脑袋多大啊!这个大脑袋里恐怕不简单,倒像是装满了智慧和理性的。我断定他决不是阿拉里人。"

那些武士们又赶快改口赞美起来："我们早就知道，我们万能的国王是什么都会看得出来的。"

正在这时候，泰山刚才进门处的对面那扇门开了，进来了一个武士，他向国王禀告说："万民尊仰的爱克莫尔哈格国王，公主珍萨拉来了，公主是特意来看这个奇怪的俘虏的。她听说这个俘虏是赞茨罗哈格从特劳汉纳达尔马库斯城俘虏来的，请国王允许公主进来。"

国王点点头说："让她进来吧。"

公主大概就等在门外，她一听到国王的话，马上走了进来，公主身后还跟着两个年轻的侍女，在侍女身后还跟着六个武士。室内的武士见了公主都起立敬礼，国王则端然不动。

国王说："珍萨拉，进来吧。你也来听听，我们正议论这个奇怪的俘虏呢。"

公主进屋以后，并没有向父亲行礼，就照直向泰山走去，最后，就站在了泰山的面前。泰山自从进到国王这间屋子之后，一直站在那里，两只手交叉在胸前。泰山这时也看了一眼公主，觉得她生得十分美丽。泰山还从来没有从这么近的地方看过密纽尼安族的女人，这还是第一次从近处直视她们。公主的容貌确实秀丽出众，生着一头浓密而又柔软的黑发，梳理得很光滑，身上戴着各种珠宝饰品。她的皮肤白嫩细腻，艳如桃李，尤其两颊像熟透的桃子一样白里透红。她穿着一袭纯白色的衣服，缝制得非常考究，这身打扮，纯洁高贵，正符合公主的身份。泰山仔细看她的眼睛，眸子是灰色的，长着浓密的睫毛。泰山之所以这样仔细端详她，是因为他想起他的朋友，柯莫多弗劳伦萨王子曾经说过，将来要抢这位公主去做妻子。这时泰山发现,公主却是秀眉紧蹙。

公主忽然高声说道:"我不明白,带这头野兽到这里来干什么?我看他简直就是一块木头!"泰山着实吃了一惊,因为这种语调和她的出言不逊既不合乎公主的身份,也和她的美丽极不相称。

国王似乎并没有生气,平静地说:"他是不会说话的,看样子,似乎他也不懂得什么。他们说他自从被俘虏过来之后,还没有发过任何声音呢。"

公主非常傲慢地说:"这真是一头丑陋不堪的野兽,咱们要不要打个赌?我有办法让他立刻发出声音来。"说着,她就抽出了腰间的一柄短剑,向泰山的手臂刺去。这个突如其来的举动,使满屋子的人都吃了一惊,可是泰山却忍住了痛,没有出声音。因为泰山早已听懂了她的话,心理上作好了准备。公主见泰山无动于衷,竟勃然大怒,马上打算再刺第二下。

国王赶快提高了声音制止她说:"行了,珍萨拉!对于这个奴隶,不能过分伤害,因为在他身上,我们正在进行着一个实验,这个实验成功与否,对咱们凡尔多皮斯马库斯城有重大意义!"

公主也提高了声音,一脸怒容地说:"他太大胆了,竟敢直视我的眼睛!我看他是在装蒜,明明会说话,却不愿说几句话来让我高兴,光凭这一点,就该杀死他!"

国王坚持说:"你没有权力杀他,他不属于你,他是赞茨罗哈格的奴隶。"

公主也毫不示弱:"我非要买下他来不可!"她转过身,厉声对她身后的一个武士说,"去把赞茨罗哈格给我叫来,我要问问他这个奴隶的身价!"

十
腐败的宫廷官员

当埃斯特本·米兰达恢复了知觉醒过来时,他简陋的草棚前的那一堆篝火,早已烧成了一堆灰烬,晨光已经洒满了大地。他此时只觉得虚弱、眩晕和头痛。他把手伸进浓密的头发里,竟摸到头上有一块块的被血凝结起来的头发,而且,他竟在头上发现了一条很长的伤口。这伤口使他又害怕又恶心,所以,他又晕了过去。当他再一次睁开眼睛时,天色已经大亮了。他迷迷糊糊地看着周围,自己这是在哪儿呢?头上的伤口似乎使他失去了部分记忆,尤其是近期的事,他竟一点儿也记不起来了,却能回忆起一些较遥远的往事。

后来,他坐了起来,看到自己竟赤裸着身体,不由得大吃了一惊。他捡起一条从自己衣服上割断的缠腰布,然后向周围扫视了一遍。他的眼光迟钝、呆滞,而且透出一种莫名其妙的神色。他终于看见了自己的武器,走过去捡起来,并且审视着它们。有好长一段时间,他又坐在地上,把手放在这些武器上,不住地摸索着,看着它们,皱起眉头,陷入了沉思。他对那刀、那矛、那弓、那箭反复地一遍一遍地审视着,察看着。仿佛要从这些东西上,回忆起点什么。

接着,他翻身跪了起来,望着丛林景色,露出一脸诧异和莫名其妙的神情。这时正有一只兔子窜出来,像是受了惊,飞快地向前跑去。他看了,赶忙抓起身前的弓,张弓搭箭,可是还没等他的箭射出去,那兔子早跑得无影无踪了。他看着眼前的事,一脸的迷惑不解。他吃惊地看着自己手中的武器,不明白自己拿起来使用时,为什么这么熟练。最后,他站了起来,拿起他所有的武器,向丛林深处走去。

在一百米以外,一只狮子在吃着一头动物的尸体。狮子见有人来,就把尸体拖到灌木丛中去了。那灌木丛就在一条宽阔的象径旁边。当埃斯特本·米兰达沿着象径走近狮子时,狮子开始不断地咆哮,米兰达不由得站住了,注意地看着、听着。这时,他仍在迷惑。但这种状态只持续了一会儿,他好像忽然明白了什么,在附近找到一株有着下垂树枝的大树,他像一头猎豹一样,一蹿就跳到了树枝上。他在这里蹲了一小会儿,看着狮子在那里饱餐,狮子吃的到底是什么动物,已经看不出来了。过了一会儿,他从树上跳下来,朝与狮子相反方向的丛林中走去。这条路似乎就是他来时的路。他身上赤裸着,但他糊涂得几乎不知道自己是裸体的。他的宝石也丢了,妩娃也离开他走了。现在,如果他看见一颗宝石,恐怕他也不知道是什么东西了。他并不想妩娃,现在他脑子里也根本不记得身边曾有过妩娃这么个人。

尽管如此,他的肌体反应还是很灵敏的,虽然不一定是有意识的。他还懂得一听到狮子的吼叫声就立刻跳到树上去。而且也知道躲开狮子,向相反的方向走去,但他并不清楚他这样做是为什么。他一听到林中有某种野兽的声音,他就会把手伸向身边的一种武器,这好像是一种受自然法则支配着的行动。

可怜的妧娃终于丧生在丛林里了,而埃斯特本·米兰达却没有因为他的罪行而受到惩罚。因为现在他根本没有犯罪意识,甚至连生存意识也没有了,是妧娃使他丧失了客观意识。现在他的脑子仅仅变成了一个记忆的仓库,当正确的力量影响他的运动神经时,他也会做出正确的事;但是如果有一个突发事件超出了他的生活经验时,他就变得无所适从了。总之,他已经丧失了所有的理智判断,就像一个死人在步行穿过丛林一样。有时,他又像一个无知的孩子,用西班牙语唠唠叨叨地说着什么,有时他又能用英语背诵莎士比亚戏剧里的某一段话。

要是妧娃现在还能看见他的样子,纵然妧娃是个食人种族的小姑娘,也会后悔把他弄成这样一种完全丧失意识的状态,当然妧娃不可能再看见他了。现在的他,只是一个可怜的躯体在漫无目的地穿过丛林。他吃、杀生,完全凭着他直觉的需要,他睡觉也和别人一样。如果我们从远处观察他,就会看到他慢慢消失到枝叶茂密的丛林里去了。

珍萨拉公主最终还是没能买到赞茨罗哈格的那个奴隶,因为她的父亲不允许。她生气地走出了国王的屋子,刚走到外屋,还没走出国王的视线,她就回头向她父亲做了个鬼脸,她身后的两个侍女和几个武士,都忍不住笑了。

她低声恨恨地说着:"我要办到的事,非办到不可!我不但要买了这个奴隶,还一定要把他杀死!"

武士和侍女听了,都暗暗点头,他们是深知公主的脾气的。

等公主出去之后,爱克莫尔哈格国王从椅子上站了起来,指着泰山说:"把他带到他的住处去,但是,要跟管理他的长官说清楚,就说是我下的命令,不能让这个奴隶做太累的苦工,也不许伤害他。"

于是武士们领命把泰山带出去了,国王也从另一个门出去了,他的六个朝臣俯身鞠躬,直到国王走远了,他们才直起身子来。其中一个大臣很快蹑手蹑脚地走到门口,向左右看了看,又把耳朵贴在墙上听了一会儿,露出十分放心的样子,又把头伸到门外,看了看隔壁的情况,接着转过身来,嘻嘻哈哈地对同伴说:"这个老笨蛋终于走了。"他讲这话时的神情,一反他刚才卑躬屈膝的态度,但他讲这话的声音是很低的,因为即使他们密纽尼安人也懂得"隔墙有耳",用他们的话说就是:"即使对你房间的石头,也千万不可相信它们的忠诚。"

另一个大臣说:"你们都看见了,就这么一个行尸走肉,在我们这里也敢这样自命不凡!"

第三个插进来说:"他自信他不但比谁都聪明,而且认为自己超过了全人类的智慧。有时候,我真觉得不能忍受呢!"

那个叫戈弗罗索的人说:"话虽这样说,到底你还是愿意忍受的,吉法斯托!你是凡尔多皮斯马库斯武士的领袖,手握重权,又有丰厚的收入,你决不会愿意放弃这些的。"

采石场的头头陶尔达力说:"对!我同意戈弗罗索的看法,你宁可舍命,也不会舍弃权力和富贵的。"

管建筑的长官马卡哈格说:"话说回来,这个爱克莫尔哈格真是个厚脸皮的东西,他的主意,对赞茨罗哈格的计划,一点帮助也没有,却硬要说赞茨罗哈格的成功,全归了他,却把不对的地方都推到赞茨罗哈格身上。这不是明摆着功劳都是自己的,过错都是别人的吗?作为一个国王,真不顾脸面。"

管农业的首长茨罗瓦尔多说:"凡尔多皮斯马库斯国王的光荣,若不靠他自吹自擂,打哪儿来呀?他虽然聘任咱们六个人为重臣,做他的顾问,咱们各有各的专职,也各有各的专门知识,可他什么时候听过咱们的建议?有时,我们给他的忠心劝告,他反而疑心其中有什么阴谋。说良心话,上边有这么个碍手碍脚的昏君,咱们能给本城的居民,带来什么好处?谁知道全国老百姓会怎么看咱们?说不定,他们还以为咱们是一群吃白饭的呢!"

戈弗罗索咬牙发狠地说:"市民到底怎么看咱们,谁也说不清楚,也许他们认为我们被聘用,完全不是由于才能,我们不过是一群饭桶罢了。但是严格说起来,百姓们有这种看法,也不能说他们太过分,国王不会用人之长,咱们不是也存在用非所学的问题吗?举个例子来说吧,譬如我,我原先管理着一万名奴隶,让他们耕种田地,兼管养羊,供给半个城市的粮食和羊只。现在他不用我之所长,却叫我做宫廷里的总管,说老实话,我真感到不能胜任呢。再譬如茨罗瓦尔多,他对于管理农业,可以说是门外汉,甚至连各种农作物都不能辨认,却非让他掌管农业不可。再如马卡哈格,他本来是管理凿石的奴隶,已经很有经验了,然而偏让他当建筑部长。再有就是陶尔达力,他本来很懂建筑,可以称得起建筑家的,却偏聘他当奴隶部长。只有吉法斯托和凡斯塔格你们两位,所担当的职务,还算和你们的专长是适合的。凡斯塔格任王宫部长,能够做到让国王的起居舒服。至于吉法斯托,他确实是一位大军事家,行伍出身,当了武士领袖之后,倒真是能大展雄才了。"

吉法斯托听他如此称赞自己，连忙鞠躬致谢。戈夫罗索又说:"假如我们这边没有吉法斯托，打仗的那天，特劳汉纳达尔马库斯还不定从我们这里掳去多少人呢!"

这时，吉法斯托插话说:"我早就跟国王说过，偷袭特劳汉纳达尔马库斯城，一定不会成功，我们必须得改变作战计划。而且，看到情况对我军不利，应该及早撤退，但这些话他都不听。要不是我当机立断，率领武士离他而去，自主指挥，主动撤退，说不定会惨败到全军覆没呢!"

陶尔达力也随声附和说:"把军队带好，对一个国家来说，是一件非常重要的事，现在，军队里的人没有不崇拜你的。他们都希望有一位国王，能像你这样指挥他们作战。"

马卡哈格半开玩笑地说:"假如你真当了国王，你一定也准许他们放开来喝酒，像从前一样吧?"

戈弗罗索说:"我们当然拥护让我们喝酒的国王。凡斯塔格，你的意见怎么样?"

王室长官凡斯塔格自国王走了之后一直没有说话，现在他摇摇头说:"在这里公然讨论叛国的事，你们也太不明智了吧。"

刚才说话的三个人吃惊地看了他一眼，又互相交换了一下眼神，戈弗罗索以质问的口气说:"凡斯塔格，你这话从何说起?谁在这里谈论叛国了?"

凡斯塔格说:"你们刚才说得够多了，如果把这些话都记录下来，你们说是什么性质?"他说这话时，故意提高了声音，好像希望外边的人听见一样。他见那三个人都不再说话，就又继续说:"爱克莫尔哈格国王待我们不薄,他给了我们富贵,现在,我们这些人也该算手握重权了。应该说,他是一个聪明的国王,咱们这些人,怎么能在他背后,这样非议他呢?"

其他的人感到事态严重了,都开始不安起来,戈弗罗索想努力改变气氛,故作轻松地说:"我的好凡斯塔格,你听错了我们的笑话,你难道没看出来,我们是有意逗你发急的吗?"

凡斯塔格说:"不,我不认为你们是在说玩笑话。好在咱们的国王很能欣赏笑话,我去对他把你们刚才的话复述一遍,看他是不是觉得可笑!"

戈弗罗索听了这话才着急起来,连忙说:"凡斯塔格!我求求你了,千万别去告诉国王,我相信他是不会欣赏的。我们几个平素都是好朋友,好朋友之间无话不谈,说说笑话,这难道不是常有的事吗?啊!我想起来了,你从前有一次曾经说过,我手下有一个奴隶,你非常喜欢,那我就把他送给你,好不好?"

凡斯塔格说:"你老兄的记性怎么这样不好?我称赞过的你的奴隶,决不止这一个,恐怕有过一百个呢!"

戈弗罗索赶快说:"凡斯塔格!你要一百个,就给你一百个,你跟我去挑选吧,这小小礼物,蒙我的朋友笑纳,我真感到不胜荣幸呢。"

凡斯塔格用眼睛扫了另外四个朝臣一下,他们都噤若寒蝉地听着,这时,茨罗瓦尔多像忽然明白过来了似的,也赶紧说:"如果你凡斯塔格看得起我的话,我也心甘情愿地送你一百个奴隶,希望你不要拒绝我。"

凡斯塔格说:"既然你这么自愿地送给我,那我可就不客气了,咱把话说在前边,我可要穿白制服的奴隶。"

茨罗瓦尔多不假思索地说:"当然可以。"

陶尔达力说:"相形之下,我不能比他们吝啬,我也愿意送你一百个奴隶。"

建筑部长马卡哈格说:"也算上我一个,我也送你一百个。"

凡斯塔格踌躇满志地说:"既然你们都愿意送给我,那么我就不客气地收下了,不过,请快一点送过来,希望在日落之前,把奴隶送到武士走廊我的办公处去,交给我的奴隶领袖。"他说着,笑嘻嘻地搓了一下手掌,又很快地把眼光转到军事首长吉法斯托身上。

吉法斯托也觉察到了这种带有威胁性的目光,但他却板着面孔,极为严肃地说:"我对于高贵的凡斯塔格,不送奴隶,却有更好的友好表示。如果可能的话,我可以给我的武士们下命令,叫他们不要用武器伤害你,可是,至于我自己,假若真到了不能控制的时候,我可不能担保绝对不动武。"

吉法斯托说着,用傲慢的眼光迅速地扫了凡斯塔格一下,然后就转身出去了。

由这六个朝臣组成的国家委员会中,戈弗罗索和吉法斯托是最敢说话的,他们虽然在国王面前总是阿谀奉承,但他俩手里的权力也最大。他们表面上必须装出忠心耿耿的样子,但是叛变王室的念头却是蓄谋已久了。而国王又庸于政务,惹得全国上下怨声载道,实际上,国王已经不啻为人民公敌了。

陶尔达力和马卡哈格,还有茨罗瓦尔多,因为表面上一贯装得顺从,所以官都当到了部长,他们和吉法斯托、戈弗罗索不一样,这后两个人确实以自己的成就,证明自己堪负重任,但是有一点,他们与爱克莫尔哈格国王手下的臣子一样,那就是他们也同样自私自利,已经变得腐败起来。吉法斯托早就看透了身边这几位同僚,他知道他们是可以被收买的。吉法斯托平日里,一心一意地训练他的武士们,对百姓也比较爱护,是有成就的一位大臣。平日他的抱负就是使凡尔多皮斯马库斯能产生一个真正英明的国王,也就是实现改朝换代,现在看来,他认为这个机会已经成熟了。

至于凡斯塔格,一味地自私自利,连表面上的羞耻都不顾,他只懂得唯利是图,脑子里根本没有忠于职守这个念头。

这时,吉法斯托对戈弗罗索说:"据我看,凡尔多皮斯马库斯城的命运,已经到了最后的决定关头了。"边说着,他俩边走出国王的御室,在武士走廊里,两人缓缓并肩而行。

总理大臣戈弗罗索说:"你这是从何说起?怎么见得这是最后的决定关头了呢?"

吉法斯托说:"这你还看不出来吗?你只看凡斯塔格那股无耻劲,他心里从来不为国王和百姓着想,他的眼睛只盯着奴隶和黄金。为了得到这两样东西,他是不惜出卖一切的。他在大臣里,可以说是个集缺点之大成的人,他也从来不讲交情,甚至和茨罗瓦尔多也绝了交,原先,他和茨罗瓦尔多可是老朋友啊!"

戈弗罗索陷入沉思地说:"咱们这些人,怎么也会和他们同流合污了呢?以致到现在,连我们自己也不能自拔了,这可怪不得别人,只能怪我们自己不对呀!我对国家的事,也思考过很久了,想出了几种改革的办法,只是拿不定主意,不知哪一种办法更好些。"

吉法斯托说:"戈弗罗索,如果有人问我国家落后原因之所在,我一定会告诉他,我认为凡尔多皮斯马库斯之所以不再向前发展,其原因就在于举国上下都满足于现状,人民都很富裕,于是游手好闲,人们整天都处于懒散之中,只知道变着法地娱乐,谁还会想着进取,想着工作?由于物质丰富,使人们感到满足了,原先奢侈的、难于得到的东西,现在都司空见惯。贪求是没有止境的,于是铺张浪费就没有休止,这种风气成了国家致命的弱点,王室和大臣,更加十倍百倍的奢侈,你说,这样下去,越来越重的苛捐杂税,能不加到老百姓身上去吗?"

戈弗罗索反问他说:"你说的固然有道理,可是据我看,重税不是都加在富人身上的吗?"

吉法斯托说:"虽然是这样说,可实际情况未必真如此。表面看起来,是富人直接缴税给国库的,可是他们的钱从哪里来?还不是间接从穷人那儿非法勒索来的?而且咱们政府在厉行酒禁,制酒和卖酒都是非法的,其实,这样既失掉了对制酒贩酒业的税收,另外也加重了对人民的捐税。我认为应该解除酒禁,把酒税复归到国库里来,其他的捐税不是就可以减轻了吗?"

戈弗罗索说:"照你说的这样做,固然可以解决一部分问题,可是仅仅解决这一件事,凡尔多皮斯马库斯的居民,是不是就可以安居乐业了,咱们国家就可以国富民强了呢?"

吉法斯托说:"当然没有那么简单,我看咱们国家还需要战争,打仗和工作这两件事,一个是会死人的,一个是很辛苦的,可这两件人人都不欢迎的东西,却是世界上一切幸福和人类生存的保障。长期的和平生活,只会使人民懒散,好吃懒做,像一只吃肥了的蛹,残酷的战争,却可以把他们变成真正的人。"

戈弗罗索听了他这一席话,不禁笑起来说:"你不愧是个武官,三句话不离本行,你嗜好战争,竟像你嗜好喝酒一样呢!战争真能像你说的起那么大的作用吗?打仗难道能使我们国家恢复昔日的荣光?自从你做了武士领袖,你简直成了一个战争煽动家了呢!"

吉法斯托觉得对方还是没有理解自己的意思,就耐心地解释说:"我的老朋友!你误会我的意思了。若只是战争和酒这两件事,我们还是达不到国富民强的目的。我并不反对和平和节约,但是我反对那些歪曲理论的人,以为只要单纯的和平与节约,就可以使国家强盛起来了。我认为最要紧的还是艰苦认真地工作。噢,对了,咱俩只顾聊天了,我还忘了你该送一百个奴隶去给凡斯塔格呢,你必须在阳光射入武士走廊之前给他送过去。不然的话,他真会把你方才说的话去告诉给国王,他满可以用这件事邀功请赏呢!"

戈弗罗索勉强挤出笑容来说:"早晚有一天,我会要他还我这一百个奴隶的代价,到那时,他才会知道,他得付出多么高的代价,我不会白便宜了这小子的。"

吉法斯托投过一瞥严厉的目光问:"假若他的主子被打倒了呢?"

戈弗罗索不假思索地说:"若是他的主子被打倒了,这件事本身已经是他偿还我的代价了。"

武士领袖耸了耸肩,脸上堆起了满意的笑容,看着他的朋友,转身走进侧面的走廊,他也迈着慢吞吞的脚步走了。

十一
苔拉丝卡尔

武士们把泰山带出了国王那间屋子，到凡尔多皮斯马库斯的石矿工地上去。这石矿距离由八幢圆屋组成的凡尔多皮斯马库斯城最近的一间圆屋，大约有四分之一英里远。第九幢圆屋此时还在建造之中，对面有一条出入的道路，许多奴隶正在那里专心一意地工作，他们把泰山也领到这条路上去了。泰山渐渐走到下层，走进一间烛光辉煌的屋子里，见到了管理石矿的官长，这个人是可以直接和国王通消息的。

那个长官问道："这个人叫什么名字？"他边问边翻开一本很大的簿子。

护送泰山的武士说："他像是从阿拉里族来的人，从来没说过话，所以也就没有名字。"

那长官抬头看了看泰山说："既然这样，我们就管他叫'巨人'吧。自从他被俘来之后，大家在背后都已管他叫巨人了。"说完之后，他就在簿子上写了"巨人赞茨罗尔"几个字，表示他是赞茨罗哈格的奴隶，并注明原籍是特劳汉纳达尔马库斯城。然后对一个武士说："把他带到第三十六层第十三队木工中去，告诉那里的管理人卡尔法斯托本，说给他找个轻活干，不能让他受到什么伤害,你跟他说清楚了,这可是国王的命令,去吧。噢,等一等,这是他的号码,给他戴在肩上。"

这所谓的号码是一块印着黑字的布片,武士接过来,给泰山戴在绿色制服的左肩上。于是他对泰山做了个手势,意思是让泰山跟他走,离开这间屋子。

走出屋子之后,泰山一直跟着那个武士,到了一条又短又黑的走廊上,走了一段,前面忽然豁然开朗,到了一个广阔的地方。只见这里有很多空着手的奴隶,在成群地向前走着,泰山所走的方向和他们相同。泰山觉察到这条走廊仿佛总是在往下倾斜,总是在向右转着弯,一直向地底下走去。这里的墙和天花板是木制的,地面上铺着石头,这石头地面非常平滑,看样子,不知经过了多少年代,经过了多少双鞋底的摩擦,才成为现在这样的。左边的墙上,每隔一定的距离,就有一个壁龛,壁龛里点着蜡烛。同时泰山还注意到,每隔一段路,走廊上就有一条出入口,每个出入口,都写着密纽尼安族的象形文字。后来泰山才知道,原来这些文字,是标明楼的楼层的。他们走着的一条是主要隧道,环绕四周的都是通往各处的走廊。在这些走廊里,还有许多较窄的隧道,这些是通往每层的工作场所的。主隧道的中间,还有通气筒和太平门,每隔一段,都有道路通往石矿的最下层。

泰山留神看着周围,他见每层都有几个奴隶,走进侧面的隧道里去,那里面光线也很好。泰山凭着他锐利的眼光,估计每层约有十五英尺深,当他走到第三十六层时,他察觉自己的估计必定有错误。因为他断定这第三十六层,决不会有四百五十英尺深,不然,离地心太近,应该感觉得到地心的热力,人也会因空气稀少而感到窒息的。

他们走完螺旋形的主隧道,到了一条平的走廊上,向右转了个弯之后,又向左转去,走进了一条宽阔的圆形走廊。这里有很多奴隶,有的空着手,有的在搬着东西。泰山留意观察着他们,这些奴隶似乎分成两队,一队是搬运石子的,他们在向泰山来的路上走去;另一队是搬木料的,和泰山走的是同一个方向。两个队伍中,都有空着手的奴隶。那武士领着泰山,又走了好远一段路,才来到卡尔法斯托本所在的地方。原来卡尔法斯托本也是一个武士,在凡尔多皮斯马库斯城的组织中,他所处的地位,相当一个伍长,能带领十个人。

卡尔法斯托本怪不高兴地带着讥讽的口气说:"好,好,好!正因为他是巨人,所以不能让他干太重的活儿!"接着他几乎是发泄怒气地喊道:"这么一个大汉,一点不比别人矮,更不比别人弱,我就弄不懂,凭什么不能让他干重活儿!他既然到了我这里,就得归我管,他要是胆敢偷懒,我就用皮鞭对付他。我卡尔法斯托本可不是什么好搪塞的主儿。"他拍着自己的胸脯。

那个带泰山来的武士,对卡尔法斯托本这种不可一世的劲头很有点看不惯,他不无轻蔑地说:"我看你自己倒得放聪明点,把活儿干好。"他一面说着,一面朝值班室走,"你别把国王的命令当耳边风,若出了什么事儿,我可不愿意替你担这个黑锅。假如有什么差错落在这个不会说话的奴隶头上,我看,到那时候可就有你卡尔法斯托本好看的了,全国人都会拿这件事当个话柄。若惹得国王发了怒,说不定会给赞茨罗哈格一刀,国王和赞茨罗哈格打的赌也就泡了汤。至少,赞茨罗哈格也不再会获得杰出人物的美誉了。"

卡尔法斯托本怒气冲冲地喊道:"我卡尔法斯托本才不怕国王呢。尽管全城的人都怕他,我可不管那一套。国王怎么着?他的威望,也只是自己骗自己罢了,论智慧,他远远比不上赞茨罗哈格,论武功,他又没有吉法斯托的刀功剑法。"

那武士依旧轻蔑地说:"得了吧,你还是管好这个奴隶吧。"他一边说着,一边走开了。

卡尔法斯托本决定派这个新来的奴隶去做木工,工作地点就在一条由大石头开凿的隧道里。在这里有一群空手的奴隶,从地面经过隧道的一边,走到尽头,然后每人搬起一块石头,若遇到太重的大块石头,就由两个人抬,搬着这些石头,到螺旋路那儿卸下,然后,等在那里的奴隶,就把石头再转运到正在建筑的第九座圆屋处。木工的工作,就是在凿取石块的地方支撑木材,还有搭制天花板和木墙,正有几个奴隶在那儿工作着。还有一种工人,是专管搬运木料的,泰山就是属于这一工种的。泰山在搬运木料的空闲中,观察到搭制天花板和木墙的工作,大致分三个步骤:第一步是用黏土,填高石壁两侧高低不平的地方。第二步是在石壁的脚下,挖开深沟,木墙的下端,就插在这深沟里。第三步则是在木墙上装天花板。

搬运木料的活儿,对泰山来说是很轻松的,他身上的伤也渐渐好起来,于是他趁工作的余暇,留心着周围的种种情况。过了没多长时间,他看出了卡尔法斯托本是个只会说大话的人,性情却很残暴,在他手下工作的奴隶都很怕他,没有一个敢不顺从他的。但是泰山也清楚地看出,那些奴隶心里并不服,只是敢怒不敢言,如果有机会报复卡尔法斯托本的话,他们会恨不得把他打死。那些奴隶工作起来,却非常认真,没有什么人偷懒。每五十个奴隶里面,都有一个武士在严密地监视着。倘若有奴隶偷懒,必受到重重的责罚。但泰山也看出,那些负责监视的武士们,对待奴隶并不怎么残暴。

　　对于这些情况,泰山只是做一般的观察,并不怎么往心里去。在他心里,有一个疑问,却始终解不开,那就是这些人的身体,怎么会变得这样高大了呢?看他们的身高,虽然比自己稍矮一点,但也差不了许多,顶多差一英寸光景。泰山知道凡尔多皮斯马库斯城的人,分明是和自己先前听到过见到过的特劳汉纳达尔马库斯城的人是一样的高矮,过去他们可只有自己四分之一高啊。而且,听他们谈起那次战争来,都说得有声有色,说明他们是很可能参加过那次战争的,可是现在他们却忽然变得这样高大,而且连房子也变成了四百英尺高,这不是不可思议的怪事吗?泰山的头脑是聪明而灵敏的,他为了弄清楚这件事情,就细心地观察、推测,努力寻求着合理的答案,为此,他不断地积累着种种有用的情况。谁知,他观察了好久,始终没有找出个合理的结论来。

　　泰山在凡尔多皮斯马库斯城里,不管走到什么地方,都能看出人民反对国王、反对政府的情绪,而且这股情绪非常强烈,像一股地火,在地下奔涌,大有一触即发之势。他知道这是凡尔多皮斯马库斯城的一种危机,将来,这情绪若是一天天高涨蔓延起来,难保不发生一场暴动。泰山暗想,万一有一天人民暴动起来,对自己却是有利的,正好趁着城里大乱的机会脱身。但他不希望这个暴动太早地到来,今天或者明天,因为他现在还需要充分的时间做更多的观察,以便作好一切准备,将来总有一天,他是可以脱身的。

每天晚上,这些工作了一整天的工人,都回到他们的住处去,住处就在工作地方的附近。泰山和他一起工作的奴隶们,住在第三十五层的一个隧道间。隧道尽头是比较宽敞的,非常像一间大的房间。但出入口却不成比例地狭窄,仅容一个人勉强挤进挤出。晚上,当奴隶们都回来了,最后一个人进门之后,出入口的房门,便嘭的一声关上了。门外还有两个武士,通宵达旦守卫在那里,寸步不离。

有一次,泰山进到大房间之后,趁大多数人都坐下来休息了,他仍站在那里仔细观察,他估计这屋里的男女奴隶大约有五千人。妇女们在一堆堆的火旁烤食物吃,缕缕的浓烟,从天花板的缝隙向外冒去。因为屋里火堆很多,出气洞却很小,烧的又是一种冒烟的煤,所以屋里总是烟雾腾腾,空气很坏,但屋里的人们却仿佛已经习惯了。

泰山又仔细观察这些奴隶,见他们的年龄差距很大,从婴儿起,有青少年,也有中年人,唯独没有老年人。妇女和儿童的皮肤都非常白皙,泰山在外面时,很少见过这么白的人。后来他才明白,因为这些人是长年见不到阳光的。儿童必须长到周岁以后,练习劳作时才能见到阳光。但是妇女们,自打她们从故乡被掳来之后,就被禁闭在这里面,绝对不许出去,只有死了才会被抬走。其中也有被武士看中了的,被选去做妻子,才能重见天日,但这样的机会是难得的。因为武士们,大多喜欢从穿白衣服的奴隶中选择妻子,穿白衣服的女奴隶和武士们,都是在圆屋外头地面上工作,二者接触的机会多,所以她们就近水楼台先得月了。

屋里妇女们的脸上都带着一种悲戚的神情,泰山非常同情她们,从前在外面的人类社会中,很少能看见这种万分失望的眼神。泰山还注意到,当他从人们身边走过时,许多人都喜欢凝视着他,大概因为他棕色的皮肤,和高大健壮的体格,与众不同的缘故吧?他们都认定他是一个新来的奴隶。他们不时在低声谈论着有关泰山的新闻,泰山听不到他们在说什么,但能觉察出他们是在谈论自己,因为他们在这种喊喊喳喳的时候,眼睛总盯着泰山看。

泰山忽然发现了一个年轻姑娘,正跪在一堆火前,神情专注地在烘烤一块鲜肉。她见了泰山,便点头向他示意,叫他过去。泰山走到她身边,细看她时,竟发现她长得非常美丽,白白的皮肤,乌黑而蓬松的头发,虽然没做任何打扮,却天然地淡雅动人。

那姑娘见他走近,就问他说:"你就是他们所说的巨人吗?"

泰山说:"是的,我就是巨人。"

那姑娘说:"他已经告诉过我关于你的一些事了,你要不要我也替你烤一些食物?我在这里,本来就是替他烤食物的。"她说到这里,露出一种郁郁的神色,又低声接着说,"除非另外有人替你烘烤食物,不然,我倒是很愿意替你做这件事的。"

泰山对她说:"谢谢你,这里还没有人替我烘烤食物,你愿意替我做,那当然太好了。不过,你叫什么名字?你说的'他'又是谁?"

那姑娘说:"我的名字叫苔拉丝卡尔,我说的他,连我也不知道他的名字,只知道他身上的号码。他跟我说过,只要当一天奴隶,就一天没有名字,只用号码做代称。他的号码是八百立方加十九。我看见了你的号码,是八百立方加二十一。"她看看泰山肩上戴的号码,又问,"你除了号码之外,还有名字吗?"

泰山说："他们都管我叫'巨人'，以后，你也这样叫吧。"

苔拉丝卡尔说："你确实是一个健壮的大汉，可是，我不愿管你叫巨人。我说的那个他，也是从特劳汉纳达尔马库斯城俘虏来的，他和你差不多高矮。我从来没听说过，在特劳汉纳达尔马库斯城里，有什么巨人，平时他们所说的巨人，都是属于阿拉里族人。"

忽然，有一个男人的声音，从泰山背后传来："我想你也是阿拉里族人。"

泰山转过头去一看，也是一个奴隶，双眼正凝视着他，露出一种嘲弄的神情。

泰山答道："对我主人来说，我就是阿拉里族人。"

那男人皱起眉头来说："别撒谎了，我知道你不是的。我看你也是个聪明人，你放心好了，我不会出卖你的。"说着，他就走开了。

苔拉丝卡尔问："他说这话是什么意思？什么叫出卖你？"

泰山低声回答说："我被捉到这里来之后，还没开口说过话呢，他们都以为我根本不会说话。虽然他们看我的面貌不像阿拉里人，可是他们中的许多人，都认为我是阿拉里人呢。"

苔拉丝卡尔说："关于阿拉里人，我只是从小听说过，还从来没有见过呢。"

泰山说："你没见过倒好，他们长得很难看，生活习惯也很野蛮，你如果见了，或接近他们，恐怕会觉得厌恶的。"

苔拉丝卡尔听了泰山的话，似乎很不以为然，露出一种很坚决的神情说："不会这样吧？我很希望能见到他们。我在这里，整年整年所见到的，都是奴隶，其他的人，我一概没见过，满眼都是

人猿泰山·泰山和蚁人　115

奴隶，实在看腻了，所以不论是什么新奇的人物，我都想看一看，即使难看，开开眼界，长点见识也好啊！"

泰山看她失望的样子，连忙安慰她说："别失望，别失望！你暂时先在这里，也许待不了多久，就有机会回到地面上去了。"

苔拉丝卡尔说："回到地面上去？恐怕我这一辈子，永远也没有这样的日子了。你知道吗，我还从来没有到地面上去过呢。"

泰山惊讶地说："你是说以前从来没有到过地面上，那么，你是被掳之后，一直都在这个地方吗？"

苔拉丝卡尔说："我出生在这里。从生下来一直到现在，从来没有去过地面上。"泰山说："这我可就不明白了，你既然是第二代奴隶，怎么还会在石矿里呢？我曾听别人说过，在所有密纽尼安的地方，无论在哪一座城市里，第二代奴隶都是穿白制服的，而且能在地面上自由活动，应该比第一代奴隶的处境好得多，你为什么不是这样呢？"

苔拉丝卡尔说："我是个例外。因为我母亲下定了决心，宁愿我死在这里，都决不愿我到地面上去，她不愿意让我和凡尔多皮斯马库斯的武士结婚，更不愿把我配给奴隶。所以我不能到地面上去，如果上去了，很容易被别人选中，一旦被人选中了，我是无权拒绝的。"

泰山说："我不明白，你母亲既然在这里生下的你，想必她也是个奴隶，她怎么能自己做主呢？她的主人，会这样对待奴隶吗？能容许她自作主张吗？"

苔拉丝卡尔说："这事得靠钻空子。这里的奴隶太多太多了，登记户口簿的时候，难免会漏掉一两个人。容貌长得美丽一些的女奴隶,主人们往往很注意,至于那些长得难看的女人,主人往往连正眼都不看她们,更不会记住她们了。我母亲生我的时候,没有按规定向上报告。为了不让他们发现我,她从一个死掉的女奴身上给我找了一件制服和号码,所以我们的主人,甚至这里看管我们的武士们,谁也没发现我身上有什么破绽。"

泰山说:"但你长得并不丑,甚至可以说非常美,难道从来没有人注意过你吗?"

苔拉丝卡尔马上背过脸去,伸手在脸上乱抹着,又把头发抓挠个乱七八糟,再转过脸来对着泰山时,泰山忽然发现她像变了一个人,蓬头垢面,一点儿也不好看了。

泰山不由得喊出了声:"天哪,这可真难以想象。"

苔拉丝卡尔很快用手整理好了脸上和头发,于是又恢复了原来的美丽。她看泰山对她这种变化,看得呆住了,忍不住笑出来说:"这套办法,还是我母亲教给我的,当主人或武士们进来时,我会像变魔术一样,把自己变丑,他们自然不会注意我了。我就是这样保护住自己的。"

泰山又问:"但是我还是不明白,恕我冒昧地问你,你为什么不愿意嫁给武士呢?嫁给武士不是马上可以到地面上去,重见天日了吗?再说,这里的武士,和你们本族的武士,不也没有什么不同吗?"

苔拉丝卡尔坚决地摇摇头说:"不,我决不会那么做。我父亲是距这里较远的曼达拉马库斯城的人,我母亲被掳来时,我只差两个月就出生了。她就在这可怕的房间里生下了我,虽然这里没有阳光和新鲜空气,可是,到我懂事的时候,母亲把过去的一切都告诉了我……"说到这里,她猛然住了口,低下头去,似乎有什么难言之隐。当她再抬起头来的时候,用非常坚定的语气说:"无论怎样,我都不能辱没了我的家族!"

泰山换了个话题问:"你的母亲呢?她现在还在这里吗?"

苔拉丝卡尔悲伤地摇摇头说:"他们在二十个月以前就把她从这里弄走了,现在她在哪里,景况怎么样,我一点儿也不知道。"

泰山问:"那么,这里的奴隶,没有人会告你的密吗?"

苔拉丝卡尔说:"不,绝对不会。我们这儿有个规矩,如果有人告了密,会被同伴撕成碎片的。来吧,这块烤好了,你也饿了吧?"她一边说着,一边把一块烤好了的食物递给泰山。

泰山平时本来是爱吃生肉的,但他不能拒绝她的好意,所以就向她道了谢,坐在她的对面,大口大口地吃起来。

苔拉丝卡尔抬起头来向周围望了望,说:"真奇怪,每天他早该来了,怎么今天到这时候他还没回来呢?"泰山明白她说的当然是叫八百立方加十九的那个人。她显然有点不放心了,接着说:"他还从来没回来得这样晚过呢!"

这时,有一个雄赳赳的奴隶,走到苔拉丝卡尔的身后,恶狠狠地向泰山怒目而视。

泰山用手指着那个人说:"你说的就是他吗?"

苔拉丝卡尔带着愉快的目光转过身去,当她看清了站在她身后的这个人时,她竟迅速地站了起来,猛地向后一退,脸上显出厌恶的神情,说:"不!我说的不是他。"

来人指着泰山问苔拉丝卡尔说:"你是在为他烤食物吗?可是你为什么不愿意为我烤呢?"他根本不等她回答,接着又气势

一个年轻姑娘正神情专注地烤一块鲜肉。

汹汹地说：“他是什么人，你要为他烤食物？在你眼里他比我好，是吗？你要是为他烤，也非得为我烤不可。”

苔拉丝卡尔非常严肃地答道：“卡拉夫塔，这屋里能为你烤食物的人多着呢，我可是决不愿意为你烤，你找别的女人去吧。”

卡拉夫塔听了这话，大怒道：“听我告诉你，我很快就要娶你做老婆了，我在众人面前，已经向你求过几次婚了，我劝你还是识相点好。如果你不嫁给我而答应了别人，我把丑话说在前头，我可要把你的秘密去报告给卡尔法斯托本，让他把你弄走，到那时可就一切由不得你了，他是有权处置你的。”

苔拉丝卡尔听了，根本不理他，只是耸耸肩。

卡拉夫塔又说：“我一定要让卡尔法斯托本把你带走，他们要是知道你不肯嫁人，一定不会让你住在这里的。”

苔拉丝卡尔不屑一顾地说：“与其落在你手里，我还不如让卡尔法斯托本带走呢！”

卡拉夫塔气急败坏地说：“有我卡拉夫塔在这儿，我倒要看看你能不能做到称心如意！”他一边说着，就走上前来，抓住苔拉丝卡尔的胳膊，把她拉过来，要强行吻她。苔拉丝卡尔虽然没有防备到这一手，可是卡拉夫塔还是没能达到目的。因为忽然有一双钢铁一样的手，抓住了他的肩头，把他拖开，用力一摔，卡拉夫塔踉踉跄跄地倒退了十几步，最后站立不稳，跌倒在地。站在卡拉夫塔和苔拉丝卡尔中间的，正是魁梧健壮、灰眼睛、黑头发的泰山。

卡拉夫塔从地上爬起来，怒声咆哮着向泰山扑去。看他那拼命的气势，真像一头猛兽，低着头，双眼充满了血色，嘴里还喊着：“好小子，这可是你自己找死。”

十二
旧友重逢

阿拉里族那第一个女人的儿子气宇轩昂地在丛林中穿行，他身上背着弓箭，手里握着长矛。他的身后已有十多个阿拉里族的男人跟着，他们也带着同样的武器。他们在长长的古老土道上走着，一边走，一边听着、嗅着。这时，有一个阿拉里族的女人同样是气昂昂地向这里走来，因为她们多少代以来，就这样神气惯了。忽然，她停住了脚步，眯起眼睛来向前凝视着，她的大耳朵也竖起来倾听，同时还皱起鼻子，向空气里嗅着。是的，她嗅到了男人的气味，从气味判断，似乎还不止一个，所以她加快了脚步向前走去。但是她却小心翼翼地，不猛然向前进扑，怕惊散了那些男人，今天，她打算捉一个回去。如果他们四散奔逃，她用飞石至少能打倒一两个。

她们族里已经很久没有男人了。族里的女人们到需要男人的时候，就到丛林里去捉。而最近一段时间非常奇怪，去捉男人的女人，往往只见出去不见回来。她曾经在丛林中看见过她们的尸首，可是她却弄不明白，这些女人是怎么遇害的。不过最近这两个月来，她发现丛林中已经有男人了，她想，这一次她总不至于空着手回石洞了。

她在古老的土路转弯的地方，果然看见了一群男人，他们离她并不远。这次令她大惑不解的是，这些男人见了她，并不像以往一样转身就跑，反而迎了过来。她还没来得及反应，男人已经到了她对面。其中一个男人，正指着她，向她走来。她看见他们脸上一点恐惧的神情都没有，眼神中却都露着凶光。这时她才注意到，他们手里还拿着一些她从来没见过的东西。那个走在最前面的男人向她跑过来，竟用长矛向她刺来。矛尖一下子刺到她的肩上，鲜血马上从她肩上淌了下来。另一个男人也站住了，弯弓搭箭，一支箭嗖地向她射来，射中了她的胳膊。另外的一些男人，也各自拿着武器，向她跑来。她这时忽然记起，她在丛林中看到过的女人的尸体。她头脑虽然愚笨，但这时也明白了什么，知道情况不妙，赶快拔起毛腿向来路逃跑。她飞跑着，一步也不敢停，当她倒在自己洞口的时候，已经筋疲力尽了。

那群男人见她逃跑了，并没有追她。因为她们世世代代处在女人的淫威之下，至今余悸犹存，还没有足够的勇气和自信去追杀女人。他们觉得能把女人打跑就是莫大的胜利了。

同族的另外一些女伴看见这个女人如此筋疲力尽地倒在自己洞口，围观了一阵才明白过来，她是因为惊吓过度，超体力地逃命，才弄成这副样子。她们以为她一定是受到了狮子的追赶，所以她们往石洞的入口处跑去，打算去击退追赶她的狮子。等到大家都跑出洞口，东张西望了一阵，连狮子的踪影也没看见。再回来看时，那逃回来的女人，已缓过气来，慢慢地坐起来了，只是还在那里大口地喘着气。

她的女伴们站在她的身边，用手势问她："你怎么会跑成这样？"

她用手势回答："我遇见了男人。"

她们马上对她露出了鄙夷的神情，有一个女人唾了她一口，另一个女人甚至踢了她一脚。

她用手势告诉大家："男人有很多个，他们是一群，他们手里拿的，不知是什么东西，差点儿没把我杀死。"接着，她指着肩头和胳膊上的伤处让她们看，她胳膊上还带着那支箭。她接着用手势说："他们见了我，不但不跑，反而围上来向我进攻。大概正是因为这个原因，近来我们经常在丛林里发现女人的尸体。"

这些女人们开始感到忐忑不安起来，她们不想再捉弄这个躺在地上的女人了。她们当中顶凶悍的一个，在那里不停地走来走去，脸上露出狰狞的神情。突然，她站住了，用手势向大家说："都过来！现在我们大家要团结起来，去收拾那些男人，把他们捉回石洞来，狠狠地教训一下。"她边说边举起木棍，做出十分凶狠的样子。

其他的女人在她身边也手舞足蹈起来，模仿着领头的这个女人的凶恶样子。接着，她们就跟在她的后面，向丛林中跑去了。这简直是一群野蛮的母夜叉，只有躺着的那个女人没有跟去，还坐在地上喘气。她已领教了林中男人的厉害了，刚才她所经受的一切，她这一辈子都忘不了。

卡拉夫塔咆哮着说："这可是你自己找死，怪不得我！"他边吼着，边向人猿泰山扑了过来。

泰山非常敏捷地闪到一旁，对手扑了个空，一下子往前摔到地上去了。卡拉夫塔并不马上站起来，却向四周围张望，好像是在找武器,忽然他的目光停在了那只火炉上,他站起身来,伸手就要去抓炉子。四周的奴隶看他们动手,也乱哄哄地喊叫起来,表示不满。

其中有一个大声喊道:"不准用武器!我们这里头的人打架,从来不用武器,你们俩要打,就拳脚对拳脚,不然,把你们交给门口的武士去,到那时可就有你们好看的了。"

卡拉夫塔暴怒起来,旁人说的话他好像没有听见一样,竟把整个火炉举了起来,对准泰山脸上扔过去,还没等他扔出手,有两个奴隶跳到他身边,从他手里夺下了火炉,对卡拉夫塔大声嚷道:"只许空手,不准抄家伙,这样不公平!"一边喊着,一边把卡拉夫塔拖到一边去了。

泰山站在那里不动,微笑着看着这一切。卡拉夫塔挣脱了拉他的人,再一次向泰山扑来。卡拉夫塔看到泰山在笑,越发怒气冲冲,像斗牛场上一头疯牛一样,发狂地向泰山扑过去。泰山用力抵挡住他。卡拉夫塔平素在这些奴隶中,打架要算是一把好手,他还从来没有败在谁的手下。泰山这时只用一只胳膊,抵住他的下巴,稍一用力,卡拉夫塔哪里是泰山的对手,只见他身不由己,仰面朝天地倒在地上了。奴隶们围拢来看热闹的,越聚越多,大家都不觉为泰山喊起好来。

卡拉夫塔挣扎着从地上爬起来,抬头四望,在找寻他的敌手。这时苔拉丝卡尔走到泰山身边,仰头看着泰山的脸,露出钦佩的神色。

苔拉丝卡尔说:"你真强壮有力啊。"在她明亮的眸子中,像隐藏着许多话要对泰山说。这一点,卡拉夫塔当然也看在眼里了,他认为这是这个女人在清楚地向泰山表示爱慕,他也明白,英武勇敢的男人,是容易赢得女人的爱慕的。

这一来,更加激怒了卡拉夫塔,他像野猪一样吼叫着,向泰山冲过去。正在这时候,他们身后的门开了,有几个武士似乎听到了声音,走了进来。他们看见屋里有许多人围观,人群当中,有两个奴隶正打得不可开交,一个高大的黑头发奴隶,把另一个高大的奴隶抓起来举过了头顶,如果他们迟进来一步,这个人就会被摔在地上了,看那架势,即使不摔死,也会摔成重伤。其中一个武士急忙跑过来干涉。两个打架的人并没有注意到武士的到来。原来这个武士正是卡尔法斯托本。

卡尔法斯托本高声喝道:"住手!到底出了什么事?"然后看了看泰山说:"噢——我认出来了,你不就是巨人吗?你居然在奴隶群中逞强了,是吗?"他又转脸去看卡拉夫塔,只见他滚得一身一脸的灰尘,正在挣扎着爬起来。卡尔法斯托本和卡拉夫塔平时比较要好,这时便大声喝斥说:"以后在我这里再不许发生这样的事,听见了吗?"说着,他走到泰山面前,想要问泰山点什么,他忽然想起来,这个新来的奴隶是不会说话的。于是他就对泰山打着手势,叫泰山跟他走。他恶声恶气地说:"去抽他一百鞭子,然后他就知道这里是不许打架的了。"他这话说得声音非常高,眼睛却没向着任何一个武士,而是紧紧盯着苔拉丝卡尔。

苔拉丝卡尔此时好像顾不得任何危险了,脱口而出地喊道:"不要惩罚他,这不是他的过错,打架是卡拉夫塔惹起的,那巨人出于自卫才动手。"

卡尔法斯托本的目光,始终没有离开苔拉丝卡尔的脸,她明白自己惹来了危险,就满脸通红地站在那里,打算再替泰山辩护。卡尔法斯托本的嘴角上,却流露出一股狡猾的微笑,走过去亲热地拍着她的肩膀问:"姑娘,你多大了?"

她回答了他这个问题,浑身因为害怕而发着抖。

卡尔法斯托本说:"好的,好的,我要去找你的主人,和他商量把你买过来,我还差个老婆呢。"

泰山看了看苔拉丝卡尔,只见她脸色大变,像一朵鲜花遇到了狂风暴雨。这时,卡尔法斯托本转身对泰山说:"你听不懂我的话,你这头笨猪。但我还是要说,因为你周围的人听得见,对你也自会有好处。这次我暂且饶过你,假若以后再发生这样的事,你休想逃过一百鞭子,也许会给你更重的惩罚。如果我再看见你纠缠这姑娘,我绝饶不过你,因为我已经看中了她了,我要把她买下来,带到地面上去。"说着,他就朝外面走去了。

卡尔法斯托本带着武士们出去之后,门又关上了。泰山觉得有人从身后拍着他的肩膀,在叫他的名字:"泰山!"他觉得非常奇怪,在这间奴隶住的地下室里怎么会有人叫得出他的名字呢?他连忙回头去看,这一看,真使他又惊又喜,脸上立刻堆起了喜悦的笑容。

他不禁脱口而出:"啊,柯……"还没等他叫出来,那人赶快把食指竖在嘴唇上,意思是叫他别出声,然后向周围看了看说:"别叫我的真名字。在这里,我叫阿邦托,也叫八百立方加十九。"

泰山说:"你怎么也跟我一样高了呢?过来,你跟我比比身高,看,这不是差不多高了吗?自从到了这里之后,我一直想不明白这个问题,他们怎么会使矮人变高的呢?"

叫出泰山名字的，原来就是特劳汉纳达尔马库斯城的王子柯莫多弗劳伦萨，泰山至此才知道他也被俘了。王子听了泰山的话，笑笑说："事情正好和你说的相反，他们不是把矮人变高了，而是把高人变矮了。"

泰山看着他的朋友柯莫多弗劳伦萨王子，一边皱着眉头在思索。一种十分惊疑的表情，浮现在他脸上。他轻声地问："你说这话是什么意思？难道他们把我变得和密纽尼安人一样高矮了吗？"

王子点点头说："是的，这事让人很难相信。不过，你想，如果我们都变大了，那么，难道连这房屋、武器以及我们骑的羚羊，也都变大了吗？"

泰山高声叫起来说："但是我告诉你，这是不可能的呀！"

王子说："在几个月之前，我也和你一样，是不相信会发生这种事的，当我听说他们把你整个人变小了，我还是没有相信。就在不久前，当我在这屋里看见你的时候，我才不得不相信了。但我当时没敢招呼你。"

泰山百思不得其解地问："他们是用什么方法做到的呢？"

王子说："在密纽尼安族中，据说最聪明的人是赞茨罗哈格，我们听人谈起他已有好几个月了。当我们和凡尔多皮斯马库斯城处于和平状态的时候，我们彼此也交换物品，交流知识，我们曾经听到许多奇怪的事，都是这个大巫术家赞茨罗哈格创造出来的。"

泰山说："我从来没有听说密纽尼安族里还有巫术家呢。"密纽尼安人所说的巫术家，确切来说，实际上就是科学家。

王子说："你就是被赞茨罗哈格俘虏来的，他用一种特殊的方法，使你失去知觉，然后用许多只羚羊，才把你拖到这里来。赞茨罗哈格把你带到这里,就用自己发明的一种机器,把你的身体整个变小。我听到他们在谈论这件事,他们说,这可没费他多少时间。"

泰山说:"我倒希望赞茨罗哈格还能再把我变大。"

王子说:"听说,他还没有找到把生物变大的方法,目前他所能做到的,只能把生物变小,你就是他的实验品之一。听说,他正在努力研究一种方法,使凡尔多皮斯马库斯城的人变大,可以称霸于密纽尼安族。可惜他还没研究出来。截至目前,他研究的成果恰好相反,只能把人变小,不能变大。既然他不能把任何生物变大,当然也不可能把你变大。"

泰山非常懊恼地说:"那么,若有一天我回到自己的世界里去,我怎么抵抗我的敌手呢?"

王子低下头去想了一会儿,露出悲戚的面容说:"我亲爱的朋友,我跟你说实话吧,你想回到你自己的世界去,这种可能性可以说是绝对没有的。我也不可能重回特劳汉纳达尔马库斯城了,除非我父亲带着军队打到这里来,才有逃走的可能。你看这石矿的周围,守卫得有多严密。你从前在我国城里时,一定也注意到了,我们从别的城里俘虏来的,一律是穿白衣服的奴隶,俘虏中绝对没有穿绿衣服的奴隶。我看这辈子没有别的希望了。"

泰山说:"照你这么说,我们下半辈子的生命,只有消磨在这个石矿里了?真的再也没有别的方法可想了吗?"

王子想了想说:"除了我们国家的军队打进来之外,就只有一个办法了,那就是争取在白天,我们到地面上去工作,或许能找机会逃出去。"

泰山高兴地耸耸肩说:"既然有办法可想,我们就且等这样

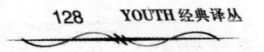

的机会。事在人为,我不大相信我们会老死在这里。"

卡尔法斯托本出去之后,卡拉夫塔一直蹲在一个角落里自言自语,脸色非常难看。

苔拉斯卡尔对泰山说:"我看他迟早要跟你们寻衅滋事的,我很抱歉,这都是因我而起,我给你惹麻烦了。"

王子说:"这怎么能怪你呢?"

"可确实是由我引起的。"她转身指着泰山,"是卡拉夫塔要强拉我去,他为我打抱不平,他们俩才打起来的。"

王子说:"你是因为保护苔拉丝卡尔才和他打起来的吗?那我可真得谢谢你了。我的好朋友,我真抱歉,那时候我没在这里,不能保护她。苔拉丝卡尔常为我烘烤食物,她真是个好姑娘呢!"王子说到最后两句时,眼睛看着苔拉丝卡尔,泰山看见她有意避开王子的目光,脸上微微泛起了红晕,有点羞涩的样子,泰山若有所悟地笑了。

泰山问苔拉丝卡尔说:"你说的八百立方加十九,就是他吗?"

苔拉丝卡尔回答说:"是的,就是他。"

泰山说:"我们三个人,同是被他们俘虏来的。咱们在患难中相识,也算是难得的。咱们应该同舟共济,想办法逃出这个险境去。"

但苔拉丝卡尔和王子都摇摇头,失望地笑了笑,他们不相信泰山的话是可以实现的。

大家吃饱了饭,有许多奴隶向他们这边围拢过来。刚才泰山和卡拉夫塔那一架打得真漂亮,有不少奴隶平时是吃过卡拉夫塔亏的,对他抱一种惹不起躲得起的态度,这次泰山替他们出了气,心里非常佩服泰山,泰山倒因此交了许多朋友。他们围在一起,一直高兴而热烈地谈着,若不是泰山向王子问起奴隶们睡眠时间的问题,他们也许会谈一整夜呢。

王子和泰山躺下之后,又小声地聊了一会儿,然后又坐起来看了看周围,只见室内横七竖八地躺满了男女老少的奴隶们,大家都睡在硬地上,差不多都是就躺在吃晚饭的地方。

王子说:"穿绿衣服的奴隶本来就没有正式的住所,你看,大家累了一天之后,只能这样可怜兮兮地睡。"

泰山说:"对这个,我倒不在乎,我随便在哪儿都能睡得着,但是在黑暗中睡得更熟,所以我想等蜡烛熄灭了再睡。"

王子笑了说:"那你要等到哪辈子去?"

泰山问:"那蜡烛难道是不熄灭的吗?"

王子说:"难怪你会说这话,你不知道这里的生活习惯。蜡烛如果灭了,我们就得死了。这个烛光,是起两种作用的:一个是照亮用,另一个作用就是吸收碳气。本来蜡烛燃烧,是应该消耗氧气的,这一点谁都知道。但是密纽尼安族的蜡烛,与其他地方的蜡烛制法不同,它是我们这里古代科学家心血的结晶,它能吸走碳气并生出氧气。所以点蜡烛不只是为了照明,还对我们呼吸有利。过去在我们特劳汉纳达尔马库斯城的圆屋里,如果不点蜡烛,不但黑暗,还会感到窒息,在这个矿洞里,又有这么多人,如果不点蜡烛,可以说简直不能生存呢!"

泰山说:"这么说来,我只能这样睡了。"说完,伸开四肢,躺在地上,用密纽尼安语言对王子和苔拉丝卡尔道了"晚安"之后,就沉沉地睡去了。

十三
在凡尔多皮斯马库斯的王宫中

第二天早晨,苔拉丝卡尔正在为他们做早餐,柯莫多弗劳伦萨王子忽然想到了什么,低声对泰山说:"为了咱们两个人能经常在一起,咱们俩最好做同样的工作。"泰山听了点点头。

王子又说:"你说,要找机会脱身,万一真碰到这样的机会了,只有我们在一起,才能一块儿逃出去呀!"

泰山沉着地说:"假如我们能逃走,我们一定要带着苔拉丝卡尔一齐走,绝不能把她一个人丢在这里。"

王子看了泰山一眼,但没有说什么。

苔拉丝卡尔听了这话,非常高兴地说:"你们愿意带着我一起逃走吗?这个梦若能实现,那可真是太好了!我情愿跟你们到特劳汉纳达尔马库斯城去,我情愿给你们做奴隶,因为你们是不会伤害我的。但是,我总觉得,这不过是个白日梦罢了。卡尔法斯托本已经明白地说过要把我买去,我的主人一定会答应的,因为我听说过,他每年都要出卖些奴隶,才能完成租税。"

泰山说:"苔拉丝卡尔,你先别这么灰心,事在人为,我们一定尽最大努力做成这件事。只要我和他有机会逃走,我们一定不会把你丢在这里不管。但是有一个问题,我们必须先解决好,那就是咱们必须想个办法,在一起工作才行。若不在一起,机会来了咱们不好联络。"

王子说:"我倒想出了一个办法,一定可以达到目的。这个矿洞以外的人都以为你是个哑巴,也听不懂他们的话。他们当然不高兴用一个哑巴奴隶为他们做工,我就去告诉他们,我能和你说话,这样,他们一定会让咱俩在一起工作的。"

泰山问:"但是,你除了密纽尼安话之外,你还能用什么语言和我对话呢?"

王子笑了说:"那就任凭我杜撰了,除非他们知道你会说密纽尼安话,我才骗不了他们。到时候,我胡编乱说些,你只装作听得懂就行了。"

过了没多久,他们就试用王子的办法,果然成功了。这一天,守兵们来到屋里,来挑选几十个奴隶,分别到各处去做工。泰山仍被派在第三十六层第十三隧道里做木工,具体工作是搭造天花板和墙壁,这个工作非常乏味。卡拉夫塔在泰山的前面掘石头,不时转过头来怒视着泰山。

工作了两三个小时之后,有两个武士押着一个绿衣奴隶下来,走到卡尔法斯托本面前。泰山开始时并没有注意,后来听到他们说话,他向那个方向看了一眼,才看出被押来的奴隶就是王子,在凡尔多皮斯马库斯城的石矿中,他的号码是八百立方加十九。

泰山的号码是八百立方加二十一,就写在他制服的肩上。如果用数字来表示,泰山的号码应该是512000021,不管是读起来,或是写起来,都非常麻烦,但是用密纽尼安族的写法,就可以非常简单。现在欧美的考古学家和古生物学家,对他们的文字,已经有了很深的研究。

泰山看了一下王子,向他使了一个眼色,恰好这时卡尔法斯托本回过头来看到了泰山,这时泰山正好站在卡尔法斯托本身旁。

卡尔法斯托本对王子说:"让我们试试看,你现在就过去跟他说话,我不相信他能听得懂你的话。如果他能懂你的话,他为什么不能懂我们的话呢?"卡尔法斯托本很难想象,全世界除了他们的语言,还会有别的语言。

王子说:"我可以用他自己的语言跟他说话,如果他能听懂了,他会向我点点头。"

卡尔法斯托本不耐烦地大声说:"好,你现在就去跟他说吧。"

王子一本正经地走到泰山跟前,叽叽呱呱地乱说了一大通,等他说完了,泰山向他点点头。

王子转过身来问卡尔法斯托本:"你看见了吧?"

卡尔法斯托本不解地抓抓头皮:"他果然能懂,我从来都没听说过,阿拉里人原来也有他们自己的语言。"

泰山心里觉得非常好笑,可是他强忍住了没笑出来。王子的妙计果然骗过了凡尔多皮斯马库斯的人,他们开始相信他可以和泰山交谈了。这时,有一个武士对柯莫多弗劳伦萨王子说:"现在你就跟他说,他是他的主人赞茨罗哈格送来的,问他知不知道自己是奴隶?他的主人赞茨罗哈格,手里掌握着他的生死大权。假如他事事服从,他就可以在这里好好地生活下去,如果他犯倔,或者偷懒,他的主人就可以处死他。好了,你就这么告诉他。"

这次,王子又煞有介事地,向泰山胡编乱说了一大通。

泰山用密纽尼安人根本听不懂的英文说:"请你告诉他,只要有了机会,我会扭断我主人的脖子,我要用木棍打破卡尔法斯托本的头,这里所有的武士,都会被我打得落花流水。我要带你和苔拉丝卡尔逃走。"

王子静静地听着泰山讲,等泰山说完,他转身对那武士说:"他说,他知道自己的地位,他也愿意服从主人赞茨罗哈格,他告诉我,他只有一个要求。"

那个武士问:"什么要求?"

王子说:"他为了把他主人派给他的活儿干得更好,随时能了解主人的盼咐,他希望我跟他住在一起,没有我,他无法知道主人的意图。"

泰山很佩服王子能够编出这么有说服力的理由。

那武士听完王子的话,说:"我们亲眼看到你能和他交谈,也认为你们住在一起更好。现在,你们就一同去见赞茨罗哈格吧。我想他也不会有意见。来,卡尔法斯托本,这两个奴隶我们都要了。"

那个武士递给卡尔法斯托本一张纸,上面写着几行密纽尼安族的象形文字。

武士们握着刀,指挥着王子和泰山沿着走廊往前走。这是因为泰山把卡拉夫塔高举过头顶的事,武士群中都已经传遍了,所以他们对泰山要特别戒备些。他们走过了一条螺旋形的隧道,到了地面上。泰山一见到阳光和新鲜空气,顿时精神一振,这些天来他住在地下,虽不过几尺深,但已经够憋闷了。泰山再看周围的许多奴隶,背着很重的东西,来来去去,两旁都有武士监视着。白衣奴隶们,有的在给主人当差,有的按部就班,做着自己的工作。

这些白衣奴隶等级虽然比绿衣奴隶高,但也有各自的主人。

奴隶中有些有特殊精巧手艺的人，他们就比较受优待了，他们对于主人唯一的义务，是只需把他们收入的百分之九贡献给主人，他们属于这个国度里的中层阶级。他们不像绿衣奴隶，随时有武士监视着，防范他们逃走，白衣奴隶日子过得比较舒适，谁都不大想逃走了，他们即使到密纽尼安族的其他城市去，地位也不一定会变得更好，反倒成了生人，会被当俘虏看待，给他们穿上绿衣，整天做苦工。熬到当白衣奴隶并不容易，他们是不大会逃走的。

凡尔多皮斯玛库斯城的圆屋，从外面看和特劳汉纳达尔马库斯城的完全一样，但是泰山的身体，比从前缩小了四分之三，所以看起来房子就特别大了。建成的圆屋，已经住满了人，另外一幢正在建筑中。凡尔多皮斯玛库斯城地面上的人口有四十八万，作为王宫的那幢圆屋，不允许住得过于拥挤，其余七幢则住得满满的。

泰山和王子被带到王宫的那幢圆屋里。他们并没有走国王走廊，却是往西穿过武士走廊。这里却和特劳汉纳达尔马库斯城不同，在圆屋之间的空场上，种着花草和树木，以至于人行道和宽阔马路的周围，也被花草树木环绕。在王宫的前面，有一大片广场，正有一队骑兵在那里操练，大约有一千人，分了四个小队，每队有二百五十人。全队有大队长率领，各小队则有小队长率领。每小队又分成五排，每排五十人，每排又分成五班，每班十人。看他们操练得十分纯熟，动作又非常迅速。最好看的，要算冲锋之前的跳跃。先由两小队骑兵排成单行，另外的两小队也排成单行，彼此相对。一声令下，双方飞快地向对方冲去，当快要面对面时，一方的武士把羊头的缰绳拉起，从对方武士的头顶跳过，落地之后，再继续前进。

泰山看着他们操练，觉得很有趣。也觉得凡尔多皮斯马库斯城有许多花草树木，风景更好看些。于是他低声对王子用密纽尼安族的语言赞美着这些。武士离他们身后较远，听不到他们谈话。

王子也低声回答他说："我和你的看法不一样，你赞美的这些地方，我倒认为正是他们的弱点。他们操练的这些动作，确实好看，不到很纯熟的地步，是做不到的。我原先也听人说过，爱克莫尔哈格国王的军队，操练得好。凡尔多皮斯马库斯城，也以花木茂盛著称。但这些正是对他们不利的地方。爱克莫尔哈格国王，喜欢在大庭广众下操练，但我父亲阿顿卓哈基斯国王专挑选僻静的地方操练军队，演习战争。这样做一是可以避开那些多嘴多舌的女人，二是躲开侦探的耳目。他的操练不追求形式，不摆花架子，而求实战的效果。若从表面看起来，凡尔多皮斯马库斯军队的操练似乎好看得多，但就实战效果而论，却不见得好。前一次两国的战争，你不是也亲眼看见了吗？我国的军队只有一万五千人，却抵挡住了三万凡尔多皮斯马库斯的军队，没让他们冲过步兵线。其实我们两国同属于密纽尼安族，武士们也同样勇敢，但是他们为什么不善于战争呢？关键的问题就在于爱克莫尔哈格国王昏庸无能，耽于享乐，专爱听阿谀奉承的话。你对于凡尔多皮斯玛库斯城里树木成林赞不绝口，我倒认为我们可以利用这点，夜袭时藏在林中是很难事先发现的。我的好朋友，你在我们城里没看见广场上有什么树木、也从来没见广场上进行操练吧？我父亲的良苦用心，你现在明白了吧？"

这时有一个武士跑过来,拍着王子的肩头,责问他说:"你为什么对他说密纽尼安话?你不是说他不懂吗?"

王子不知这个武士都听到了哪些话,他如果听到了泰山的话,自己就很难辩解了。他冷静地回答:"他想学密纽尼安话,我正在教他。"

武士说:"这倒是好事,他学会了一点了吗?"

王子说:"还没有,他很笨呢!"

后来,他俩就默默地走着,再不说话了。他们走过很多梯子,渐渐向高处走去。这里的房屋分上下两层,往上走时,有时是通过梯子,有时则是通过道路。路是固定的,梯子却可以移动,这是用来防范万一战争失败了的时候,可以爬到上层去,然后移开梯子,敌人就无法上来了,自己的军队却可以居高临下。

爱克莫尔哈格的王宫非常高大,如果按照普通人的比例,这座王宫应该有四百多英尺高。泰山等人一路走上去,好像从地底下升到天上去了。沿路上看见各层有许多房间,里面都储藏着东西,以食物为多。从许多房间的门口望进去,有做美术工艺的,也有金银工匠、雕工、陶工、缝纫工、油漆工和蜡烛工等等。其中以制造蜡烛的工人地位最高。泰山等四人一直走到最高层,到了一处门口,被卫兵阻拦住了。

武士便对卫兵说:"请你去报告赞茨罗哈格,就说我们带着那个巨人,和另一个会和他说话的奴隶来了。"

那卫兵并不进去报告,只用矛柄打着一面铜锣,另外一个人开门出来,卫兵又向他照样报告了一遍。

开门出来的人,是个穿白制服的奴隶,他说:"你们可以进去了。我光荣的主人赞茨罗哈格正盼着你们来呢。跟我来吧。"

他领着他们经过了几个房间,到了一个地方,那儿有一个衣饰华贵的官员,坐在一张办公桌的后面。桌上放着许多奇奇怪怪的器械,还有很笨重的书和文件。他们进去时,那官员转过身来看着他们。

领他们进去的白衣奴隶说:"这就是您要见的奴隶,巨人。"

赞茨罗哈格指着柯莫多弗劳伦萨王子说:"那么,这一个呢?"

白衣奴隶说:"只有他的话,巨人能听懂,因为你准备和巨人谈谈,所以也把他一起带来了。"

赞茨罗哈格听了点点头,对王子说:"你问问他,自从我把他的身体变小之后,他有什么特殊的感觉吗?"

王子把这个问题,胡编了一套语言,翻译给泰山听。泰山听罢,摇摇头,同时还说了几句英语。

王子凭着自己的理解说:"他说没有什么特殊的感觉。他要我问问你,要到什么时候,他的身体才能恢复原状?他还问你,什么时候能够放他回去?他说他的故乡,距离咱们这里远得很呢!"

赞茨罗哈格说:"你可以明确地告诉他,他永远也不能回到故乡去了。特劳汉纳达尔马库斯人,再也不会见到他了。"

王子说:"他本不是特劳汉纳达尔马库斯城的人,他也不属于密纽尼安族。他到我们城里来时,我们没有把他当作奴隶看待。我们拿他是当客人的,因为他来自很远的国家,跟我们从来没有发生过战争。"

赞茨罗哈格很惊奇地问:"那么,他到底属于哪一国呢?"

王子说:"我们从来也不知道,他只说,在大荆棘林之外,有一个很大的国,在那里住着几百万人口,那些人都跟他原来一样高大。他说,他们的人民,跟我们从来没有过冲突。因此,我们不应该拿他当奴隶对待,而应该以宾客之礼来待他。"

赞茨罗哈格听了,哈哈大笑说:"假如你真相信他这一套鬼话,你就是个呆子。我们知道,这世界上除了密纽尼安族之外,从来没有其他的民族。大荆棘林就是我们的屏障,普天之下,再没有别的地方了。这巨人如果真不是你们特劳汉纳达尔马库斯城的人,那他一定是从阿拉里族来的,他们就住在荒山的石洞里。如果我猜得不错,他决不会来自……"

这时,门外的锣声又响了,打断了赞茨罗哈格的话。他在心里默数着锣声,共响了五下,他便对带泰山和王子来的武士说:"你带他们到旁边的屋子里去。国王来了,国王一定有些事要跟我说,他们在这儿不方便。"

泰山随着众人往外走时,看了一眼赞茨罗哈格和室内其他的人,见他们都俯伏在地上,高举着双手,向国王致敬。国王带着十二个卫兵走了进来。泰山不由得想起特劳汉纳达尔马库斯的国王阿顿卓哈基斯,他不失武士的本色,在城里无论到什么地方,从不用仪仗,绝没有前呼后拥,有时只带一个奴隶以备差遣。他所经过的地方,也没有人对他屈膝行礼,更不用说俯伏在地了。但尽管如此,大家都从心里尊敬他。

爱克莫尔哈格进来时,看见有两个绿衣奴隶随着武士退了出去。他挥了挥手,叫赞茨罗哈格等人起来,有几分怀疑地看着赞茨罗哈格问:"方才出去的那两个奴隶是谁?"

赞茨罗哈格说："就是那个巨人，还有一个会翻译他怪话的奴隶。"

国王马上下命令说："去把他们叫回来，我正有一些关于巨人的问题，要跟你说呢！"

赞茨罗哈格立即吩咐一个奴隶去叫。爱克莫尔哈格国王就在赞茨罗哈格的桌后坐下来。没有多久，泰山和柯莫多弗劳伦萨王子又被武士带了回来，武士叫他们走到离桌子很近的地方跪下。

王子本来是密纽尼安族人，对这些礼节并不陌生，现在既已做了战俘，降为奴隶，只好听从武士的吩咐，顺从地跪下了，可是人猿泰山可从来不惯于向谁屈膝。就连从前在特劳汉纳达尔马库斯城，也没对阿顿卓哈基斯国王下过跪。依他看来，爱克莫尔哈格，也未见得就比阿顿卓哈基斯更尊贵些，他怎么肯向他下跪呢？尽管武士下了命令，他还是直直地站着。

爱克莫尔哈格两眼瞪着泰山，低声对赞茨罗哈格说："这个奴隶怎么这么大胆？他见了我竟敢不跪？"

赞茨罗哈格在国王安坐椅上之后，本来也依臣子礼，俯伏在地。这时听了国王的话，抬头一看，见泰山果然没有跪下，便向泰山高声喊："跪下！"他忽然想起了泰山不懂密纽尼安话，就叫王子说给他听，泰山却始终是摇摇头。

国王看了这情况，想了想也没有别的办法，在泰山身上正做着实验，既不能打伤他，更不能杀了他，只好示意叫他们都起来，最后装作大度地说："我就饶了他这次，下次你们非得教会他下跪不可。"

十四
赞茨罗哈格的科学研究

有五十来个阿拉里女人整装出发,去降服造反的男人们。她们带了木棍和飞石,一副怒不可遏的样子。从前阿拉里的男人一贯惧怕她们,但现在可不同了,他们不再望风而逃,反而威风凛凛地要杀她们了。这可是多少年来从未有过的事。

这群女人浩浩荡荡到了广场前面,见一群男人生着了一堆旺火,正围坐火边烤羚羊肉吃。男人们这样镇定而安闲的态度是她们从来也没有见过的。过去的世代里,男人在她们面前,总是比一只绵羊还没用,男人手里也从来没有武器,她们怎么会知道,这些男人直接或间接地受了人猿泰山的传授,有了武器,不但不再惧怕同族女子,还敢于在丛林中自由奔走,猎取食物,大嚼鲜肉了。这么美味的食物,若在过去,他们一年也难得尝到一次。现在他们真是觉得又自由又幸福。

阿拉里女人们却不想弄明白男人们为什么会有了这样的变化,她们甚至也没太留意他们的变化,从表面看,他们也确实还是阿拉里族的男人。火堆旁的男人们,有一个看见她们走近,还由于积习,立即跳起身来,逃到树林里去了。他这一逃,影响了其他的男人,竟也跟着他莫名其妙地逃开了。女人们这一下更得了势,她们横穿过空场追了上去。男人们逃到林中,回过头来看看,女人并没舍弃,还在后面追着,从前,他们常常就是这样被女人捉去的。

男人们也没有都逃跑,其中有一个男人,只跑出了几步,就站住了,转过身来,面对着追来的女人。这个男人,就是第一个女人的儿子,他从泰山身上学到了勇敢。那些逃散的同伴都很替他担心,他们藏身在树后,略微伸出头来看着他,只见他威风凛凛地独自站在那里,和五十多个凶悍的女人对峙着,他不慌不忙地弯弓搭箭。女人们见了这个动作,并不明白他这是要干什么。只听嗖的一声,箭已射到了最前面的一个女人胸前,她马上倒地痛苦地翻滚。其他女人还在继续追赶。紧接着,第一个女人的儿子又射出一箭,又一个女人倒在地上,痛苦地滚动着。那群女人这才愣住了。这一停顿,威风气焰立刻下去了大半,藏在树后偷看的男人们,却因此勇气倍增。他们好像同时都明白过来了:假如他们能够采取一致行动,岂不是比一个人去反抗要有力得多吗?于是他们都站了出来,一时飞矢如雨,向女人群中射去。女人们也不轻易认输,手里也不住地掷着飞石。但是男人的箭比飞石要密集得多。女人准备短兵相接,以便运用木棍,但是木棍毕竟太短,敌不过男人手里的长矛。她们死伤无数,能继续作战的人越来越少,大败而逃。

第一个女人的儿子在这群男人中,不知不觉已居于了领袖地位,这在阿拉里族中是从来没有过的事。见那些女人逃了,他并没感到满足,他指挥着那些男人,从后面紧紧追去。男人们以为他要乘胜追击,杀尽那些女人。只见他猛追了上去,捉住了一个年轻的女人,并不杀她,一把抓住她的头发,拽了过来,夺下了她的武器,大家都愣愣地看着,不知他到底要做什么。一个男人,抓住了一个世世代代压迫他们的女人,却不杀死她来复仇,他们都觉得十分不解了。于是大家都围拢来,纷纷用手语问他:"你为什么要捉她?""抓住她,你为什么又不杀她呢?""你不杀她,不怕她以后带人来杀你吗?"

第一个女人的儿子胸有成竹地用手语回答:"我要留着她。我不愿意每天自己做饭,她必须天天替我烤食物。她要是敢不听吩咐,我就让她尝尝这个。"

说着,他用长矛刺了她一下,并命令她跪在地上。

其他的男人见他这样做,都觉得是个好主意,不禁欢呼雀跃起来。哈,这可是个天大的喜事,现在阿拉里的女人,见到男人居然害怕了。

其他的男人用手语问他:"我们对另外的女人怎么办?"第一个女人的儿子抬头看了看,那群女人已经逃得无影无踪了。

他们群中有一个男人,用手语说:"这是个好主意,我也要去抓一个属于自己的女人来,让他天天给我烤食物!"然后,他就向女人们跑走的方向追去。那一大群男人,这时好像突然醒悟了什么一样,也都朝那个方向追去了。在这里只剩下了第一个女人的儿子和那个年轻的女人,他转过身来,用手语问她:"你愿意每天替我烤食物吗?"

她看了他的手势,非常倔强地表示了不愿意。他举起长矛,用矛柄重重地打在她的头上,她立即倒在了地上。他站在她身边,露出非常凶狠的样子,向她表示,如果她不服从,他还要更厉害地惩罚她。这时她害怕了，全身抖作一团。他踢了她一脚，命令道："起来！"

她跪着爬过来，抱住他的大腿，抬头望着他，脸上带着驯顺讨好的神情。

他又问："你愿意天天给我烤食物吗？"

她用手语回答："我愿意做你的奴隶，永远为你服务。"

泰山在赞茨罗哈格接待国王那间房子隔壁的小屋中，站了一小会儿，又有武士来召他过去。泰山走进屋里，只见赞茨罗哈格和国王都坐在办公桌后面，赞茨罗哈格吩咐泰山走近一些。现在除了他们三个人之外，屋里没有别的人了，连武士们也都出去了。

爱克莫尔哈格国王问："你敢肯定他真的不懂咱们的语言吗？"

赞茨罗哈格说："他从被俘到我国之后，至今还没有说过一句话。原先我们误以为他属于阿拉里族，后来听武士们报告，才知道他另有一种奇怪的语言，特劳汉纳达尔马库斯的一个俘虏，能够和他谈话。国王您想说什么，尽管说，咱们密纽尼安族的语言，他是绝对不懂的。"

国王用怀疑的目光看了赞茨罗哈格一眼。国王喜欢所有的人吹捧自己，当然也包括赞茨罗哈格，他也称呼他是最伟大最荣耀的王，作为一个作威作福惯了的国王，听起这些话来是最顺耳最舒服的，其实，他自己心里也未尝不明白，这些阿谀之词不过是些漂亮的空话，而且，说者也不见得是由衷之言。爱克莫尔哈格长期以来已经习惯了陶醉于这种自欺欺人之中。不过,他总算还有一点自知之明,他明白他是骗不过赞茨罗哈格的。

这时,他摆出一副威严的样子,对赞茨罗哈格说:"这个实验,我们从来还没有详细讨论过,正因为这个缘故,我今天特地到这个实验室来。现在,实验品本身也在这里,我们就详细探讨一下吧!得出一个初步的结论,以便进行下一步工作。"

赞茨罗哈格十分恭顺地说:"好的,我们全民伟大的导师……"国王不耐烦地打断他说:"够了,够了,别来这一套了!就叫我'塔格溲头'吧!"从国王这些话看来,他毕竟还保持着几分清醒,还没有蠢到让别人乱上尊号的地步。

"是!是!塔格溲头!"赞茨罗哈格遵命地改口说。原来'塔格溲头'在密纽尼安语里,就是大王的意思。

赞茨罗哈格继续说到正题上:"让我们来详细讨论这个方法吧,它的成败,和我王的王权,是有很大关系的。"其实他心里也明白国王的打算,所谓的讨论,不过是让他明白地报告出来,他究竟是用了什么方法,使泰山的身体缩小到原大小的四分之一的。国王一旦知道了这个方法,他一定会把这个方法占为己有,不给赞茨罗哈格任何报酬,他根本不会顾及这是赞茨罗哈格用了多少岁月、花了多少心血才研究出来的。

赞茨罗哈格慢声细语地说:"大王陛下,我们在没讨论正题之前,我祈求大王答应我一个要求,其实这个要求我在心里已酝酿了很久了,只是不敢向大王启齿。"

爱克莫尔哈格国王马上警惕起来问道:"什么要求?"

国王对赞茨罗哈格的聪明,一向是很嫉妒的,心里也非常恨他,因为他常常恃才要挟自己。如果国王能找到充分的理由杀死赞茨罗哈格,他一定会这样做的。但他一时还不能这样做,赞茨罗哈格委实聪明过人,他对自己还有用,他的科学发明如果成功了,对国王稳固他的王位是大有裨益的。

赞茨罗哈格只简单地说:"我要求被选入皇家委员。"

爱克莫尔哈格听了,感到十分为难,为了选皇家委员的事,他已经拒绝过许多贵族了。现任的几个委员,都是他煞费苦心挑出来的。他思索了一会儿,只好说:"现在并没有缺额呀!"

赞茨罗哈格似乎早就考虑到了这一点,他马上说:"我王只要想补,造成一个缺额并不是什么难事。其实,就算没有缺额,增添一个也不是完全不可以,譬如增加一个议长助理,一旦戈弗罗索缺席了,就可以代理公务。而且我也不一定参加王室会议,我的重点工作还是照旧研究我的新发明。"

国王心里明白,他已无法拒绝赞茨罗哈格的要求了。赞茨罗哈格的用意是想当了王室委员,可以免交捐税,因为凡能规定捐税的人,自己就可以免交一切捐税。于是国王肚子里又转开了念头,听赞茨罗哈格的口气,似乎只要一个挂名的虚衔,于事实并没有妨碍。于是国王就做了个顺水人情,爽快地答应了赞茨罗哈格。

国王说:"就依你的建议,我今天就委任你。以后如果有特殊的事,需要你参加王室会议,我会专门通知你的。"

赞茨罗哈格马上鞠躬致谢,然后接着说:"现在,我们来讨论我们的实验吧!我希望我们国家的军队和别国交战时,我们军士的身体能变大,等他们打完仗回到国里时,他们的身体能再恢复原来的大小。这是最理想的了。"

国王耸耸肩说："唉！我真讨厌谈及战事。"

赞茨罗哈格说："不能因为我王讨厌战事，就不谈战事啊。我们必须经常作着战争的准备，而且要有打胜仗的准备，不能毫无准备地等人家来向我们挑衅。"

国王说："不错，你说得对，我也这样想。假如这个计划成功了，我们就可以只用少数的武士，作为备战之用，大多数的武士，就可以解甲归田了，让他们去从事其他有用的职业，这不是很好吗？来，让我们继续讨论下去吧！"

赞茨罗哈格笑着站起身来，绕过桌子，走到泰山身旁。他用手指着泰山头颅的下部说："在这个里面，我王你一定是知道的，有一个椭圆形的红灰色物体，其中含有液体，这个物体能影响各个组织和器官的生长。我很久以来就发现了，我们假如能够控制这个腺体的功能，就一定能控制和它有关的器官和组织的生长。我已经拿很多小动物做过试验了，大多都得到了成功。但我希望能进一步使人的身体变大，但还没能取得成功。我相信这条研究道路是正确的，只是还需要反复试验。您知道，如果用一块光滑的小石头，轻轻敲打您的脸部，您会有舒适的感觉。如果用这块石头加大力度，敲打您的脸，您的感觉就会大不一样。所以我认为我已经接近正确的方法了，只是如何掌握这个尺度的问题了。我已经能使各种动物的身体变小，但我还不能把它们还原变大，而且，变小的时间也不能维持长久，有的能保持到三十九个月，有的只能保持三个月，就会自动恢复原状，甚至有的只能在七天之内，还有的只能保持一两分钟就恢复了原来的大小。在缩小了的动物恢复原状时,往往会在一段时间之内昏迷过去、失去知觉。"

爱克莫尔哈格国王说:"自然,要把动物变大,我相信只要找对了方法,也许比你说的更容易。你说,要想变小这个人的身体,是用一块石头在他颅底打一下。我认为要把他变大,假如合乎科学道理的话,当然也应该用石头,而击打的部位要正相反,我认为击打他的前额就行了。我们不妨试验一下,以证明我说得不错。"

赞茨罗哈格本想阻止国王这种愚蠢而又无效的试验,但马上想到他千万不能伤害国王的自尊心,他很快地想出了一个办法说:"国王,您的智慧,当然是我们民族的光辉,您的理论,也非常明智而敏锐。刚才您说,只需把身体变小的方法倒过来用,就可以变大。这从原理上来讲,显然是对的。不过,我早已试过多次了,但结果都是失败的。现在我们不妨再试验一次,也许这次试验的时候,就可以找到以前试验失败的原因了。"

赞茨罗哈格说着,很快地穿过房间,走到房屋的另一面,在那里,靠墙排着一溜大柜子。他打开了其中的一个柜门,里面有一只装着啮齿类动物的笼子。他从中拿出一只小动物,回到屋子当中的一张桌子前,用木钉和几条绳子,把这只小动物牢牢地缚在一块平滑的板子上,让它四腿伸开,身体平展展地贴在木板上。它的下巴,紧贴着一块金属小板,这块金属小板是镶嵌在那块木板上的。他又取了一只小木盒和一只带架子的金属盘,这大金属盘立着连在架子上,架子上有一个手摇曲柄,只要一摇动曲柄,盘就会很快转起来。在架子的同一轴线上,还有一只固定的圆盘,这圆盘是由七块不同的材料拼成的,而每一部分都伸出一个类似小刷子的东西,轻轻地抵着能旋转的金属圆盘。

这个固定圆盘的七个部分的背面,各系着一根电线。赞茨罗哈格将那七根电线,分别系在那个木箱表面的几个电极上,又用一根电线,接在木箱侧面的电极上。木箱侧面,有一块弧形的金属小板,小板附着在一个皮圈里面。赞茨罗哈格将这个皮圈,套在那个小动物的脖子上,那块小板,恰好紧贴着它的头颅下部,十分接近那里的皮下腺体。

这一切都做完之后,赞茨罗哈格的注意力,又转到了木箱上,这木箱上面,除了七个接着电线的电极之外,还有一个圆形的仪器,其中有一个带有刻度的盘,上面写着一些象形文字。刻度盘的中心,伸出七根管状的细杆,每根细杆上,都有一枚漆着不同颜色的小针。下面又有七只金属小盘,放在木箱上面,形成一个弧形。中间还有一根可以旋转的金属杆,这杆能按照使用者的意思,指向七只小盘中的任何一只。

这一切都布置好了之后,赞茨罗哈格便开始移动金属杆,从一只小盘移向另一只,他的眼睛始终注意着刻度盘。当他移动金属杆的时候,刻度盘上的七枚指针,也做着各不相同的移动。

爱克莫尔哈克国王,尽管不能完全懂,但始终聚精会神地看着。这时泰山也走近桌子,去看这个实验,因为他明白,这个实验是和自己有很大关系的。

赞茨罗哈格不断移动着那根金属杆,于是七枚指针也跟着东旋西转,指着各个地方的象形文字。最后,赞茨罗哈格非常高兴地停住手了。他说:"我尊敬的王啊,你看到了,整个操纵过程是不容易的,要校正准确这架机器,让它和我们做实验的动物,能够适度,要做多种适当的调试。现在我能利用这架机器,使这头生物身体的大小,受到刻度盘上的制约,而且我们可以看到系数。要做到更如意,我还必须再实验下去。"

那只木箱上的另一面,还有许多按钮,他按动着按钮,同时又握住那只活动盘的曲柄,使它很快地旋转起来。

这结果确实出乎人的意料之外,爱克莫尔哈格和泰山,都看到那个动物的身体变小了,它的形状却和原来一模一样,丝毫也没有改变。泰山仔细地看着这一切,心里暗暗记着那七枚指针的位置。爱克莫尔哈格抬起头来,也发现了泰山盯着这一切在看。

爱克莫尔哈格国王马上命令赞茨罗哈格说:"把这个巨人奴隶押走,现在不需要他在这里了。"

赞茨罗哈格说:"是,国王。"他马上命令一个武士,把泰山和柯莫多弗劳伦萨王子,押到另外一间屋子里去,说等需要他们的时候,再叫他们过来。

十五
从顶层逃出

武士奉命带着泰山和柯莫多弗劳伦萨王子，走过了许多房间和好几道走廊，一直走到圆屋的中部，但仍旧没有离开刚才的那一层，也就是国王和赞茨罗哈格所住的那一层。最后，他们被带进了一间小屋里，进去之后，就听到屋门在他们身后重重地关上了，从声音听得出，这扇门是很牢固的。

这间房子里没有点蜡烛，只借着窗户上透进来的一点光稍稍能看出房子里的大概轮廓。这屋子里有两条长椅和一张桌子，除此之外，再没有其他东西了。亮光从一个很狭小的窗口透进来，窗口上有着结实的铁栅栏，但能分辨得出，照进来的是阳光。

王子低声说："这里只剩下咱们两个人了，咱们可以畅所欲言了，不过，还是必须留心，防备隔墙有耳。在我们国里有句古话，连你墙壁上的石头，也不能相信它绝对忠诚。"

泰山向周围审视了一下，问王子："咱们现在这是在什么地方？你对于密纽尼安族的屋子，总比我熟悉吧？"

柯莫多弗劳伦萨王子说："我们是在爱克莫尔哈格王宫的最高层。因为国王是决不到他城内另外的圆屋中去的，刚才他不是还在这儿吗？所以，可以断定，这里一定是国王的地方。在圆屋中间通气筒四周的各个屋子,都叫作最内室,我们现在就在最内室的一间里。这里有通气筒可以换气,因而不必点蜡烛。现在你可以告诉我了,你跟国王和赞茨罗哈格三个人在屋里时,都看到了一些什么?"

泰山回答说:"我已经知道他们把我身体缩小的方法了。而且,我还听他们说,我的身体可以恢复原状,缩小的期限,短则三个月,最长也不过三十九个月。连赞茨罗哈格本人,也不准确知道我的身体什么时候会恢复原状。"

王子忽然想到了什么,很兴奋地说:"我希望你可千万别在这间小小的屋子里恢复你原来的大小,若是你突然变大起来,我真不知道这间屋子怎么放得下你!"

泰山同意王子这个看法,他说:"待在这里不是个事儿,我总得想个办法出去才成。这种处境可真他妈的糟糕。"

王子说:"这里第一层走廊还是比较宽大的,当你有从前那么高大的时候,假如在第一层走廊里,弯着腰也许还能走过去,越到上层,走廊越低,所以你如果在这里恢复了原来的高矮,我敢说,你是断然出不去的。"

泰山笑了笑说:"这样倒也好,那这就逼着我必须在变大之前出去不可了。"

王子摇了摇头说:"能够这样当然是最好的了,我的朋友。但是,如果你也是密纽尼安人,你就会明白,在咱们今天这样的处境下,还打算逃走,那只能是一种空想了。你来看看,你看见窗户上的铁条了吗?"他说着,走到窗前,扳着那粗重的铁栅栏说:"你试试看,你能把这玩意儿扳断吗?"

泰山说:"我还没来得及仔细看呢。但是不管怎么样,我都不能抛掉从这里逃出去的想法。"

泰山说完,就走到窗前,和王子并肩站在一起,伸手握住铁条,试着摇了摇,说:"这东西也不十分坚固。"他用力一扳,铁条竟弯曲了!泰山和王子都格外高兴。泰山于是用出他全身的力气,有两根铁条被他扭弯得几乎要断了,有一头已经脱离了原位。

王子非常吃惊地看着他的朋友,不禁高兴地叫起来:"赞茨罗哈格虽然缩小了你的身体,但你原来的力气,却一点也没有变。"

泰山说:"谁都无法支配我原有的力气。"说着,他不断地扳着、扭着,不大会儿工夫,窗子上的铁条,都被他一根根拔下来了。他把一根铁条弄直,交给王子说:"你拿着这个,到必要的时候,这可是一件很得力的武器呢。假如我们逃出去,遇到需要动武的时候,这东西就派上用场了。"他自己也弄直了一根,带在身边。

王子仍惊疑不定地看着泰山说:"依你看来,难道就靠这么一根铁条,就能抵挡城里的四十八万敌人吗?"

泰山说:"当然不仅止此,铁条之外,更重要的是还有我的智慧呢!"

王子说:"我看也是,光靠一根铁条怎么行呢?你是得多用点智慧。"

泰山非常有把握地说:"智慧比铁条重要得多,到时候我会用的。"

王子还是不能完全相信,所以半开玩笑地说:"我倒要看看,你什么时候用呢?"

泰山说:"今天晚上,明天,或者下个月,这可说不准,要看机会什么时候到来。我随时随地留心着,打着逃走的主意。自从我恢复了知觉,明白自己成了俘虏之后,我一直没放弃过逃走的念头。"

王子仍是没有信心地摇摇头。

泰山问:"你对咱们能逃出去,没有信心吗?"

王子连忙说:"不!不能这样说,我当然相信你。虽然我的判断力告诉我,咱们成功的希望可能很小,但我愿意和你同生共死,哪怕有一线希望,我们都要争取成功。有志者事竟成,自助者天助之,希望咱们能成功。"

泰山自被俘以来是难得笑的,但他这次却笑出声来了。他说:"让我们还照原样把铁条装上去,免得被别人看见坏了大事。说不定送食物的人一会儿就来,咱们不能让他们看出破绽。"

于是他们又把铁条照原样装回去,刚才泰山取下来很快,现在装上去比取下来更快。等他们装好之后没多久,天已经黑了,不久,门开了,两个武士,拿着蜡烛,领着一个奴隶,提着一桶食物,还有几瓶水。他们把食物和水放在桌上,用蜡烛照了照屋里就要走,王子赶紧说:"武士,我们这里没有蜡烛,你能给我们留下一支吗?"

那武士回答说:"你们这屋里不需要蜡烛。其实,你们只在这里待一个晚上,明天就可以回石矿里去了。石矿里蜡烛多得很呢。"说完,他们就走出去了,从外面关好了门。泰山和王子听着他们在外面上了闩,脚步声渐渐走远。这时屋子里很黑,他们摸索着吃了晚饭,喝了点水。

王子一边吃着晚饭一边说:"你刚才听到他们的话了吧,明天我们还得回石矿,你想,咱们只有今晚这一夜的时间,怎么能从离地面几百英尺的地方逃出去呢?"

泰山却非常坚定地说:"我是决不打算回石矿里去的,我想,就连你也不必回去。"

王子问:"那么,你到底打算怎么办呢?"

泰山说:"这不是明摆着的吗,必须在今夜就逃走不可。"

王子听了反而笑起来,他认为泰山说的话,根本没有可能。

泰山吃饱了之后,站了起来,走到窗口,先拆下那根作为防身武器的铁条,又把另一根递给王子。墙的厚度有十尺左右,这里所说的尺,是密纽尼安族的尺寸,如果按正常标准,一尺约合三英寸光景。上层的窗口,比下层的要窄些,但要钻过一个人去,还是绰绰有余的。所以泰山要爬过窗口,钻到窗子外面去。

泰山钻到外面,看了看外面是一片漆黑,天上有稀疏的星星,往下看,下一层的窗口,却有点点灯光。他估计了一下从窗口到下一层屋顶的距离,并不太远。而再往下面看,却是垂直陡峭的墙壁,按密纽尼安尺算,约有四百尺。

泰山把外面的情况看了个清清楚楚,然后又回到屋里,问王子:"你估计一下,从这间屋子的窗口,到下面的屋顶,大约有多高?"

王子说:"大约有十二尺。"

泰山从窗上拆下最长的一根铁条来,量了一下,说:"差得太远了。"

王子不解地问:"你说什么差得太远了?"

泰山说:"离下一层的屋顶。"

王子仍不明白,说:"这里离屋顶的远近有什么关系?即使能下到屋顶,离地面还远着呢,我们不还是下不去吗?"

泰山说:"嘿,很有这个可能呢。如果我们爬到下一层的屋顶,就可以想出办法到地面。现在看来,只有通过墙内的通气井了,因为只有它,是从屋顶顺内墙,直通到地面的。从那儿走,被人发现的可能性最小。"

王子说:"你好像在说笑话,照你那么说,仿佛咱们能够昂首阔步走出城去一样。那怎么行呢?那些守卫的士兵是干什么的?照你说的这样走法,我看走不到一半,即使不被杀死,也会被人发现的。"

泰山说:"正是因为这样,咱们从通气井下去是最安全的。通气井里一点光亮都没有,在咱们到地面以前,是不会被人发现的。"

王子几乎急了,高声说:"你疯了吗?从通气筒爬下去,万一失足的话,会一直跌下四百尺的地面去,你还想活吗?"泰山笑笑说:"别着急,你只管跟着我走,等着瞧就是了。"

王子不再说什么,只听见泰山在黑暗的屋子里走来走去。过了一会儿,又听见金属在石头上磨擦的声音,磨一阵又敲打一阵,声音并不高,但很沉重,在深夜里听来,闷声闷气的。

王子问:"你在做什么?"

泰山没正面回答他,只简单地说:"等一会儿你就知道了。"

过了一会儿,泰山又问王子:"你能在石矿中,找到他们囚禁苔拉丝卡尔的地方吗?"

王子反问道:"你问这个干什么?"

泰山说:"我们必须去找她。我答应过她,逃走时,一定带她一块儿走。"

王子说:"要找,我倒是能找到她。"泰山听得出,王子的语调并不乐观。

泰山不再说什么,只默默地做着自己的工作。王子在黑暗中只听见沉重的声音,知道是铁器和石头相磨擦和敲击的声音。

泰山突然想起了什么,问道:"特劳汉纳达尔马库斯城里的人,你是不是每个都能认识?"

王子说:"那怎么可能呢?特劳汉纳达尔马库斯城里,连奴隶都算上,少说也有一百万人,我怎么能都认识呢?"

泰山问:"那么,住在王宫里的人,你都认识吗?"

王子说:"恐怕也不能,只有那些贵族,还有一些武士,可能面熟,但不见得叫得上他们的名字来。"

泰山说:"只要你能认识一些就好。"说完,又是一阵沉默。

过了一会儿,泰山又问:"我再问你一个问题,假如一个武士,在自己本城的圆屋里,可以自由行动吗?"

王子说:"在白天里,没有什么特殊情况,是可以随便行动的。但除了王宫。"

泰山又问:"那么,在白天里,武士可以随便到石矿里去吗?"

王子说:"一般情况下,如果有公事,武士可以到矿里去,不会受到盘问。"

泰山又静静地工作了一会儿,说:"来,现在咱们可以准备走了。"

王子说:"我跟你一块儿走,咱们俩到底是好朋友,别管走出去有多危险,我已经想好了,即使死了,也比当一辈子奴隶强。咱们逃出去,我知道是很危险的,但是,必须冒这个险才有获得自由的机会。"

泰山说:"这话才对了,我的好朋友!我们应该乐观一点,不自由,毋宁死!我选择今夜逃走,是因为我们一旦回到石矿里去,逃走的机会几乎就等于零了。今夜是我们唯一的机会,所以绝不可错过。"

王子说:"咱们用什么方法逃出这间黑屋子呢?"

泰山说:"走圆屋中间的通气筒。但还有一个问题必须问你,一个穿白衣服的奴隶,白天可不可以到石矿里去?"

柯莫多弗劳伦萨王子不明白这个问题和逃走有什么关系,但还是毫不迟疑地答复他说:"不行,白衣奴隶从来不到石矿里去。"

泰山最后问:"我刚才给你的那根拉直了的铁条,你带在身边了吗?"

王子说:"我带着呢。"

泰山说:"好!你跟我从窗户里爬出去,带上所有我留在窗口的铁条,我这里已经带上大部分了,剩下的归你带。现在,就跟我来吧!"

柯莫多弗劳伦萨王子在黑暗中,听见泰山从窗口爬出去了,同时也听到铁条的碰击声划破了夜空的沉寂。接着,他也壮起胆子,跟着爬了出去。他经过窗口的时候,拿了泰山留在那里的铁条,一共有四根。他拿到手时才发现,每根铁条的两端,都弯曲成了钩状。这时他才明白,刚才听到泰山那里叮叮当当的声音,原来他是在做这个工作,但此时他还没有明白这些铁钩派什么用场。他刚刚爬出窗口,就被泰山拦住了。

泰山说:"慢着,等一等,让我在窗口钻一个洞,等挂牢了铁钩,我们就可以走了。"

片刻之后,泰山回头对王子说:"请把铁钩递给我。"

泰山接过那些铁钩,又默默地工作了一阵,王子听见泰山的身体,在窗口向外移动。

泰山又说:"让我先下去,王子!你在窗边等着,听到我吹口哨,你就跟着我下来。"

王子有点莫名其妙地问:"下到哪里去?"

泰山说:"从这里下到最近一层的窗口,我算了算,从这里到下面的窗口,大约有十八尺,希望在这十八尺之间,没有人发现我们。我刚才把铁条弯成铁钩,上面钩住窗户上的洞,下端垂到十八尺下的窗口。"王子这时才明白了泰山的全部用意。泰山顺着铁条向下滑,铁条不断地摇摆着,他小心谨慎地往下爬,终于下到了下一层的窗口。往下面看,是黑洞洞的通气筒的底部。从这里下到地面,大约还有四百尺陡峭的墙壁,如果失足掉下去,那可真要跌个粉身碎骨。

那铁钩的上端,钩在窗边的小洞里,并不十分牢固,万一铁钩滑脱,连人带钩从四百多尺的高空直落下去,那后果实在不堪设想。泰山往下爬时,把作为武器的铁条别在身上,双手握住铁钩,慢慢向下移动,每移一次,不过几寸远。泰山之所以这样慢慢移动,有两个道理,一个是移动得慢,可以稳住铁钩,使它不致滑脱；另一个是动作慢一些，可以尽量不发出声音，免得夜深人静的，惊动了别人。通气筒中十分黑暗，这倒有利于泰山的行动，因为即使对面窗子里有人，也不会看见窗外滑过的泰山。

当泰山一直慢慢地攀援下去，到了铁钩末端的时候，底下正好够着下一层楼的窗口。泰山向窗里望了望，里面十分黑暗，可见屋里没有人，泰山心里很是高兴。他暗暗希望那扇窗子没从里面插死，最好连屋门也能从里面打开，若真这样，可就太理想了。泰山站稳了身子之后，就向上吹了一下口哨，立即觉察出铁钩的上端在摇晃，知道柯莫多弗劳伦萨王子也跟着下来了。下面的窗口比上面那扇要宽大些，泰山可以把身体站直了。他在静静地等王子下来，几次小声叮咛王子不要心急，抓稳了，千万不可失手。过了好一阵，王子也下到了窗口，泰山接着他，使他站到了自己的身边。

王子似乎意外地高兴，低声说："哎呀，我连做梦都不敢想的事，居然实现了！现在我才真的相信，咱们逃出去不是不可能的了。"

泰山说："逃走是可能的，但是现在精神上还不能放松，咱们的逃走，还只是刚刚开始呢，你跟我来吧。"

他俩把铁条从身上取下来，握在手里，试了试，窗子是能推开的，就从窗口跳进这间屋子。屋里非常黑暗，泰山摸索着向屋里一步步走去，只觉得这间屋里堆放着木桶和瓶子一类的东西。王子紧跟在泰山身后，他到底是熟悉密纽尼安族的城内建筑的，他低声说："我明白了，听说他们这里在禁酒，这间屋子一定是贮藏充公私酒的地方。我刚到这里时，就听到人们纷纷议论的，不外是重税和禁酒这两件事。他们对酒,看得比珠宝还宝贵,我猜,这间屋子的屋门一定是紧紧锁着的。"

泰山说:"恐怕不是,因为我已找到通往屋门口的路了,那里正好有一线亮光透进来。"

他俩轻手轻脚地走过去,各人手里都紧握着铁条,以防发生什么意外情况。泰山走到门边,把门轻轻推开一点,从门里向外张望了一下,只见那边的屋子里,装潢得很富丽堂皇,地上铺着又厚又软的地毯,墙上也挂着各种颜色的壁毯。但泰山忽然发现,在前面的地板上,脸朝下躺着一个人!仔细一看,这人头上还包着白布,在他脸部旁边,有一滩殷红色的东西,似乎是血!

泰山试着把门推开得更大一些,闪身走进另外一间屋子,手里举着铁条,随时防备有人来犯,但屋里却一片死寂,什么动静也没有。泰山向这间屋里四顾了一下,才发现这屋里还有六个人躺在地上,刚才从门缝里看不见,现在才看清,这六个人都东倒西歪地躺着,泰山不明白方才这里到底发生了什么事。

十六
两个假武士

柯莫多弗劳伦萨王子站在泰山旁边,手里紧紧握着当作武器的铁条,一旦有人上前盘问,就赏他一下。但是,渐渐的,他握着铁条的手垂下去了,他脸上绽开了放心的笑容。

泰山看着王子,很奇怪地问:"你笑什么?地上躺着的是些什么人?他们是怎么被人谋杀的呢?"

王子笑着回答说:"我的朋友,你仔细看一看,他们并没有死啊!他们是看管禁酒的贵族,他们偷喝了禁酒,都喝得酩酊大醉,你细看看,他们谁也没死。"

泰山看了一眼自己脚旁边的一个人,说:"你看他,他的头旁边不是还有鲜血吗?"

王子说:"那不是血,那是红酒!"泰山听了,也不禁失笑。

泰山说:"他们偏偏挑今天这个日子喝得烂醉,这倒正是咱们俩的福气。如果他们不喝醉,我想,从酒库通到这里的门,一定会是紧锁着的。"

王子说:"真的会是这样,如果他们不是醉成这个样子,起码还会有几个清醒着的武士,守在这间屋子里。现在,这里一个清醒的人都没有了,咱们真是碰到了好运气。"

他的话还没说完，对面的门被推开了，从外面走进来两个武士。他们看见有两个陌生人在屋里，而且这两人正面向着他们，又看了看地上醉倒的一些人，武士厉声问他们说："你们这两个奴隶，跑到这里来干什么？"

泰山把食指竖在嘴唇上，发出嘘声说："快把门关起来，别让别人听见。"

那个武士说："这里再没有其他的人了。"他走过去把门关上，又转身问泰山："你这是什么意思？"

泰山知道近旁再没有别人了，就高声说："你们俩听好了，从现在开始，你们俩已经是我们的俘虏了。"他边说边跳过去，挡住了屋门，举起铁条来准备战斗。

那两个武士看到了他们的武器，露出轻蔑的笑容，不约而同地都拔出了短刀，向泰山进攻过去。他们注意力都放在泰山一个人身上了，却没去留神柯莫多弗劳伦萨王子，王子趁这个机会，丢下铁条，从地上一个醉汉的腰里，拔出了一把短刀，挥舞起来。原来王子对这种武器非常娴熟，以前在特劳汉纳达尔马库斯国里，王子的刀术，可以说举国无双呢。

至于泰山，虽然是个英勇善战的人，但他单靠一根铁条，来对付两个精于刀术的武士，确也有些力不从心，幸亏有王子相助。王子有了趁手的武器，就直向一个武士扑去，两个人短刀相对，厮杀在一起。另一个武士手持短刀，凶狠地威逼着泰山。

那武士高声喝道："你们是奴隶，是我们的俘虏，还敢在这儿放肆逞强？放下武器！"拿着刀直向泰山刺去，泰山手里并不粗的铁条，当然敌不过短刀，但他毕竟是丛林之王，连大猩猩和狮子，他都没放在眼里呢。武士举着短刀,直刺泰山,泰山敏捷地往旁边一闪,那武士动作也够快的,见泰山闪开了,马上收住了脚步,一扭身又举起刀来,直向泰山头上砍去。泰山没有想到这武士身手如此矫健,又避过了砍来的这一刀,两个人的动作,都够迅速利落。这一下,激怒了泰山,他高举起铁条,猛地向武士头上打去,这一下非常狠,那武士的头颅马上碎了,倒在地上死了。

然后泰山腾出手来,去帮王子对付另一个武士。这时王子已经占了上风了,他把敌人逼到墙角,一刀刺穿了他的胸膛。王子笑着对泰山说:"你真够厉害的,仅仅用了一根铁条,就胜过了一个密纽尼安族的好剑手,除你之外,我从没见过第二个。我原以为你会吃亏,想先收拾了这个,然后赶过来帮你。"

泰山笑笑说:"我也原想过来帮你呢!"

王子说:"如果我没拿到这把短刀,倒真的需要你帮助了。现在,咱们下一步该怎么办呢?跟你说老实话,开始你说逃走时,我是信心不足的,现在顺利程度已经远远超出了我的预料,以后再遇到什么事,我都不会感到惊奇了。"

泰山说:"现在,咱们可以改变自己的身份了。让我们把这两个武士的衣服剥下来,脱掉咱们的奴隶装束,穿上武士衣服。"说着,他就脱去身上的绿色奴隶衣服。

王子和泰山一道,都用最迅速的动作改变了自己的身份。王子对泰山说:"以前我总以为密纽尼安人是最伟大的,没有人比得过我们,现在见了你,我不这样想了。"

过了一会儿,这两个乔装改扮好了的假武士,每人都扛了一个穿绿色奴隶衣服的尸体,走到窗口,把两具尸体朝通气筒的底下扔了下去。

泰山说:"这个假象,足以迷惑住他们了,他们一定以为咱俩逃出去,摔死了。如果摔得厉害,辨不出面目来,那就更好。"接着,泰山又取下一截挂在窗外的铁钩,也向通气筒下扔去,说:"咱们索性就做得更像些。"

他们又回到屋里,那些醉汉还没有醒过来。王子从他们身上找出了一些钱,交给泰山说:"我们假扮武士从这里出去,这东西是不可缺少的。我早就听说凡尔多皮斯马库斯的人都是贪财的。只要有钱,就不愁有什么办不到的事。到必要的时候,咱们可以贿赂他们,只要他们识不破咱们的底细,就什么都不怕。"

泰山说:"这些钱还是你拿着好,到时候,由你来根据情况处理,因为密纽尼安族的风俗习惯,你比我熟悉得多。我看,咱们得赶紧走,不能再停留了。嘿,眼前摆着的这事,可真不公平,忠于职守的武士死了,偷吃禁酒的醉汉,却好好地保住了性命。"

王子说:"这有什么办法,天下不公平的事多着呢。"

泰山说:"我没想到,原来在这矮人的国度里,竟也和世界上其他地方一样呢!"泰山走在前边,推开了房门,门外却不是另一间屋子,而是一条走廊。

外面没有人,非常寂静,他们就沿着走廊走去。在他们经过的几间屋子里,有着烛光,也有几个男女躺在那里酣睡,不知道是否也喝醉了。在一个贵族的门口,有一个卫兵在那里打盹。一路上,再没有碰见任何人。他们快步沿着走廊往前走,心想离开刚才藏私酒的地方越远越好。他们从通气孔道扔下去的两个尸体,一时未必会被人发现,如果他们发现了,又从面貌上辨认出来,一下就真相大白了,这里的人一定会找他们两个人的,到那时,也许会闹个天翻地覆呢。这两个假武士在走廊上碰到一些人,都一个个不介意地过去了。泰山知道天快亮了,走廊上来往的人渐渐多起来。

王子说:"据我看,还是不要等有人注意上了咱们,不如先找个地方躲避一下好。不然,我们就往人群多的地方走,大庭广众,反倒不容易引人注目。"

泰山往两边的屋里看看,都是住家户,没有可以躲避的地方,有些屋里还有蜡烛。他们走了一会儿,王子忽然拍了拍泰山的肩头,指着一扇写着象形文字的门说:"我看躲在这儿正好。"

泰山说:"这是什么地方?"

他们走到门口,看了看,泰山又问:"这屋里睡满了人,等他们醒来时,不会认出我们吗?"

王子说:"不会。这里是公共宿舍,住在这儿的人,都是从各个圆屋里来的,他们彼此都不认识,当然也不会有人注意我们。"

于是泰山就跟着王子走进去。有一个白衣奴隶,上前来接待他们。王子向白衣奴隶说:"给我们拿两支蜡烛来。"说着,就给了他一枚小金币,这金币就是刚才从醉汉身上拿来的。

白衣奴隶领他们到屋里最远的一个清静角落,为他们点亮了两支蜡烛,就走开了。于是他俩面对着墙壁躺好,这一夜可能也确实乏了,不一会儿,两人都呼呼睡去了。

当泰山醒来时,见屋里只剩下他和王子两个人,那个奴隶还在那里支应着。泰山赶快叫醒了王子,白衣奴隶为他们提了水来洗脸,他们还按照本地的规矩,洗了一个淋浴。浴室内有一条水沟,通到城外的田里,这里流出去的水,就作田中灌溉之用。这里用的水,都是从外面汲来的,用大桶扛到各层楼上的屋里,除了贵族和武士之外,其他人没有权利享受这淋浴的。白衣奴隶在河里沐浴,至于绿衣奴隶,只有在得到允许时,才能到石矿底下的积水中去洗澡,那里的积水,是从来不作为饮用水的。

泰山和王子洗完了淋浴,走到圆屋里的一条大道上,这里行人很多,有来有往,都靠左行走。人虽多,秩序却非常好。正因为人多,泰山和王子坦然前行,也不担心露出破绽。两旁还间隔地点着蜡烛,发出辉煌的亮光。大路两边有许多商店,有些男人女人在那儿买东西。这个国度里,平民百姓的日常生活状况,泰山还是第一次看见。有些武士的妻女也大大方方地走到户外来。泰山记得在王宫的御室里,见过珍萨拉公主,在别处的门口,也见过各式各样的女人,但是,那都是一晃而过,至于看到妇女在外面走动,而且离得这么近,这还是第一次。泰山观察着她们,见她们脸上都涂抹着深红色,耳朵却染成蓝颜色。她们的衣服非常奇特,左臂和左腿都袒露着,右臂和右腿却用衣服遮盖得严严的。这使泰山联想到文明社会的女人们,在晚宴或舞会上穿着晚礼服,胸臂都可以袒露着,并不觉得有什么不好意思,但是,倘若不慎被别人看见了膝盖,却羞得无地自容。真是十里不同俗。

泰山又仔细去看每一家商店,见每个店门口,都涂着鲜艳的颜色,说明店里卖的是什么商品,旁边还写着象形文字,问了王子,那文字写的是店主的姓名,还宣传这个店是如何地物美价廉。王子走到一家店铺前,就挽住泰山的手臂,指着这家店铺说:"这是一家卖食品的铺子,让我们去吃点东西吧!"

泰山说:"正好,我也真感觉饿了,先在这儿把肚子填饱了再说。"泰山说着,就和王子走进了店铺。里面有几个顾客坐在地板上,面前放着一条小小的长凳,凳上的盘子里放着食物。王子很细心,找到铺子后面通向另一家铺子的门边坐下。王子特意选了这个座位,以防有人认出他们时能很快地逃走。

泰山和王子坐定,也学着别的客人的样子,拖过一条长凳来,等着店主送食物来。这本来是一家非常简陋的饭馆,王子低声告诉泰山,到这里来吃饭的,大多是奴隶和穷苦的武士。泰山向周围看了看,有几个顾客坐在那里,看样子实在是够穷的,大多是些衣着褴褛的人。泰山还看见在对面的一家店中,有几个穷武士,向店主人买了点零布,随手就缝补在他们的破衣服上了。

过了一会儿,有一个白衣服奴隶把食物送过来了,这是一种很便宜的饭食,当时王子拿不出更小额的零钱了,只好摸出一枚小金币给他,那店主喜出望外地说:"哎呀,这可真是难得,竟有带着金币的武士到我们这个店里来吃饭了。在我们这个钱柜里,经常放着的都是些铁币、铅币,甚至还有木钱,今天看到金币,实在是稀罕事呢!到我们这儿来的顾客,过去也有过很有钱的,但现在可都变穷了。你们看见那边那个高大的武士了吗?就是那个满脸皱纹的人,从前他可很有钱呢,曾经是他那个圆屋里最最有钱的人,现在可完全不一样了。过去这些人有许多奴隶,他们的事业,也曾经是兴旺发达的。这些可怜的人,都是爱克莫尔哈格对企业乱收苛捐杂税的牺牲者。"

停了一会儿,店主又继续说下去:"穷人,生活反倒容易了,因为穷人不用纳税,而那些努力工作,取得了一定的成就,置了产业的人，反而被政府以征税的方式把钱拿走了，他们才真是够苦的呢！"

店主见这两个武士听得入神，就越发打开了话匣子："你们看见那个人了吗，他原先是个富翁，一生工作得非常勤劳，也攒下了很多财产。几年之后，各种各样的苛捐杂税，使他入不敷出了。他有一个仇人，那个人很穷苦，他就把自己的财产送给了那个仇人。表面看来，这似乎是一种慷慨的施舍，似乎是以德报怨，其实是一种很恶毒的手段。因为从此以后，他的仇人就变了富翁，每天要服十八个小时的劳役，弄得他头昏眼花，然而他的收入，还不够他支付捐税的，从此之后，他被苛捐杂税压得喘不过气来了，而那个把财产施舍给他的人，反倒过起轻松的日子来了。"

泰山和王子吃完了饭，就又回到走廊上，往下走去。他们打算走到王宫的第一层去。他们专拣拥挤的地方走，以免被人发觉。这儿的走廊很窄，但是却有很多骑羚羊的武士从这儿经过。他们骑着羚羊，横冲直撞，完全不考虑行人的安全。泰山和王子小心谨慎地走着，居然没有遇到阻碍，顺顺利利地走到了第一层。这里有四条走廊，都是通往宫外去的，他们想找一条最适合的走出去。走到一个岔路口，突然有很多人，堵住了他们的去路。被挤在后面的人群，都踮起脚尖，伸长了脖颈向前探望，大家彼此询问着，不知到底发生了什么事。泰山和王子只是听着、观察着，不敢多问。后来有一个人从人群中挤出来，告诉大家说，有两个奴隶，因私自逃跑摔死了。

大家又纷纷向他询问详情，这个人告诉询问者说："这两个奴隶，被关在王宫的最高层，也就是赞茨罗哈格住的地方。他们把十几根铁钩连在一起,从中央的通气筒往下爬,铁钩不知怎么断了,他们照直地跌了下来,简直跌得血肉模糊了,现在正准备抬出去喂野兽。据说其中的一个,是从特劳汉纳达尔马库斯城掳来的,这里的人都管他叫'巨人',听说他还是赞茨罗哈格的一个试验品呢,现在他死了,赞茨罗哈格的损失可不小。"

听的人中,忽然有一个人失声叫道:"哎哟,昨天我还看到他们来着,怎么一下子会死得那么惨。"

那个人又说:"你说的那是昨天的事了,若是在今天,你可认不出他们了,他们俩的脸,也摔得血肉模糊了。"

人渐渐散去,泰山和王子又继续往前,走上奴隶走廊,果然看见有人押送着那两个尸体,正往前走。泰山等人走远了,才问:"刚才那个人说,要把那两个尸体拿去喂野兽,这是怎么回事?"

王子说:"这是我们密纽尼安族的老规矩。凡是奴隶死了,都送到丛林边上去喂给野兽吃。在城附近有很多年老的狮子,连牙齿都快掉没了,再没有捕食的能力,所以只靠吃这种尸体过活。狮子对这些送尸体的人,也很懂得感谢,它们总是远远地就来迎接,一边叫着一边在前边领路,一直等到人们把尸体安放好。"

泰山问:"这里的人,对于尸体都是这样处理吗?"

王子说:"并不都是这样,只有奴隶的尸体才这么处理。至于武士和贵族的尸体,都是埋葬在地下的。"

泰山停了一会儿说:"等他们把尸体处理完,咱们就没有危险了,谁也无法知道那两个尸体到底是谁了。"他们继续在走廊上往前走,远远望着那两个武士的尸体被放在羚羊背上,颠颠簸簸地在往远处走去。

十七
冤家路窄

泰山和柯莫多弗劳伦萨王子,走到了奴隶走廊的出口处,这里有明亮的阳光,他们觉得很舒服,就站了一会儿。王子问:"现在我们还往哪里走呢?"

泰山说:"你领我到囚禁奴隶的石矿里去,也就是咱们曾经住过的大屋子。"

王子惊奇地问:"我们千难万险好容易才逃出来,你难道嫌自由不舒服吗?"

泰山说:"我们得去救苔拉丝卡尔呀!我们不是答应过她的吗?"

王子说:"是的,我们是答应过她,我赞美你的仗义和诚实,但你把事情想得太容易了,我认为现在要去救苔拉丝卡尔是不可能的。我比你更想救她,因为我到这里之后,她天天为我烤食物。可是你要明白咱们的处境,现在要救她从这里逃出去,是完全没有可能的。我们回石矿去,等于自投罗网啊!"

泰山说:"我们现在不能这样想,事到临头,自会有办法。如果你认为去了一定会失败,那么,让我独自一个人去好了。我之所以希望你跟我一块儿去,不过想让你指引给我苔拉丝卡尔被囚禁的地方。路径你比我熟悉，免得我迷路耽搁了时间。如果你肯领我去，我是求之不得的。"

王子说："你以为我那么贪生怕死，想逃避危险吗？不，你到哪里，我也到哪里。如果你被他们捉住了，我也情愿陪着你被捉。我认为我们会失败，但我决不离开你，我愿意跟你去你要去的任何地方。"

泰山高兴地说："好，现在就领我到石矿里去吧。而且请你运用你对密纽尼安族的了解，以及你的全部智慧，尽可能少问路，最好是直接找到通往那里的路。"

于是泰山和王子专门找阴暗无人的地方走，走到一片大广场上，看见有一大队武士正在列队演习。他们从修理得既整齐又清洁的街道走过，在这条街上，有奴隶在做工，旁边有武士监督着，这些武士的神情都非常威严。但是，无论是武士还是工人，都没有人注意泰山和王子，这可能与他们的服装有关系。

他们走了一段，遇到几个武士，押送着一批奴隶，正向他们要去的石矿走去。王子心生一计，便有意地混杂到他们中间去，好在两个人都穿着武士服装，所以也就没有人注意他们了。他俩就这样避过了盘查的人，很顺利地混进了矿穴，一路上没受到什么阻碍，就走到了第三十五层。只需再走过没有行人的隧道，就可以到达苔拉丝卡尔的住室门前了。

在苔拉丝卡尔住室的门前，有一个武士在那儿守卫着，他背靠在墙上，开始并没有注意他们两个人，但见他俩朝这间屋子走来，便急忙走过来拦住他们。

这时，王子走在前边，对他说："我们有事要找女奴隶苔拉丝卡尔。"

泰山站在王子的身后,他看到那武士专注地向王子脸上看了一会儿,忽然眼睛里发出了异样的神情,泰山马上敏感地觉出,他可能已认出王子了。

武士问:"是谁派你们来的?"

王子泰然地说:"是她的主人赞茨罗哈格派我们来的。"

武士脸上露出了一种狡猾的神情说:"你们进去领她出来吧。"他说着,就打开了门闩,推开了房门。

王子俯下身,从那扇矮门中走了进去,泰山却没有跟着他,只站在原来的地方。

武士见泰山不动,就命令他说:"你也进去。"

泰山不动声色地回答说:"我等在这里就成了,去带一个女奴隶到走廊上来,何必要两个人呢?"

那武士迟疑了一下,没再说什么,就把门关上了。当他转过身来,再面对泰山时,走廊上就只有他们两个人了,武士忽然把短刀拔出鞘来,泰山的反应当然敏捷,他也马上把短刀握在手里。

那武士变了脸,高声叫道:"赶快投降吧,我早认出你们两个是谁来了。"

泰山说:"我也看出你起疑心了,你倒的确是机灵,可惜你的眼力却不行,你把人看错了,你看我这人像是个肯屈服肯投降的吗?"

那武士也不服软,说:"我的刀,可是不认人的。"他说着,挥起手中的刀,就向泰山刺过来。

当初,第一个把泰山从非洲蛮荒引到文明社会去的,是法国上尉得·阿诺,他的刀法非常精深,泰山的刀法就是从他那儿学来的。但泰山从来没遇到一次机会施展,今天总算可以一试身手。两个人交手了一两分钟,武士已觉察出对方不是等闲之辈,自己不是他的对手。泰山的刀,越挥越有力,刀刀逼进,武士只有招架之功。最后,泰山一刀刺中武士的肩头,他高喊起来,希望别的武士听到。泰山看形势急迫,迅速而用力地一刀正中胸口,武士马上倒地身亡。泰山从武士身上抽出了刀,立即去拔门闩,开了房门,王子从里面俯身出来,急得脸上神慌色变,出来之后见泰山好好地站在那里,地上是武士的尸首,一缕笑容马上浮上了他的嘴角。

泰山说:"这个武士认出了我们,我迫不得已把他杀了。苔拉丝卡尔呢?她为什么没有和你一起出来?"

王子说:"她不在这儿了,卡尔法斯托本从赞茨罗哈格那儿买了她,已经把她领走了。"

泰山听了这话,一面掉转身,一面对王子说:"把门闩好,咱们赶快离开这里。"

王子顺手关好了门,问道:"现在我们该到哪儿去找苔拉丝卡尔呢?"

泰山说:"去找卡尔法斯托本的住处。"

王子听了,耸了耸肩,只好跟着泰山,向前走去。一路上没有受到什么阻碍,当他们走到第十六层的时候,一队奴隶从隧道分支的路上迎面走过来。队伍中有一个奴隶,两眼直直地盯着泰山看,泰山也注意到了这个奴隶,两个人打了一个照面,这队奴隶就向隧道的另一头走去了。

泰山低声对王子说:"我们快点儿走吧。"

王子吃惊地问:"怎么了,又出了什么事?"

泰山说:"你刚才没看见吗,从我们身边经过的那一队奴隶,其中有一个人,紧紧地盯着我看,我担心他看出了什么破绽。"

王子说:"我倒没注意,你认识他是谁吗?"

泰山说:"就是在石矿里曾经和我们住在一起,还和我打过一架的卡拉夫塔。"

王子问:"他还认识你吗?"

泰山说:"我说不准,反正他紧盯着我看,看样子是起了疑心,我倒希望我这身武士衣服,让他没认清我,但恐怕他是看出破绽了。"

王子说:"既然如此,我们不能再耽搁了,应该赶快逃离这里,最好是赶快逃出凡尔多皮斯马库斯城。"

他们俩加快了脚步,泰山问:"你可知道卡尔法斯托本住在哪里?"

王子说:"我不知道。在我们特劳汉纳达尔马库斯城里,石矿里的武士,是短期轮流服役的,在服役期间,他的住处是不会更换的,但我不知道这里的规矩是否跟我们一样。卡尔法斯托本如果在石矿里服役的期限已满,那么他会搬走;如果期限没满,按理他该住在石矿的上层。我们不妨去打听一下。"

又走了一段,泰山拦住一个武士说:"借光,请问卡尔法斯托本住在什么地方?"

那武士把泰山和王子打量了一下说:"这我可不知道。如果你们有公事的话,守卫所的人会告诉你们的。"

他们又往前走了一段,拐了一个弯,估计那个武士看不到他们了,他们不禁心虚起来,于是越发加快了脚步。现在他们觉得,唯一的希望,就是安全地逃出石矿。这时,正巧有一队奴隶,要到地面上去搬运石块,去造那幢新的圆屋,于是他们就故意混进这队奴隶之中。到了守卫所,那里的官员和武士正忙着登记奴隶的姓名。泰山和王子以为可以趁此机会混出去的,没料到那位官员十分认真,当他登记完了时,扬起眉毛问:"你们送来的奴隶一共有多少名?"

押送奴隶的一个武士说:"一共有一百名。"

那位官员又问:"押送奴隶的武士,可是四名?"

那个武士回答:"不!我们只有两名。"

王子怕露出马脚,就主动而镇静地说:"我们两个跟他们不是一起的。"

那官员又问:"那么你们是干什么的?"

王子说:"我们有另外的任务,请你把这群人打发走,这里只剩你一个人的时候,我立即就告诉你。"

官员马上命令那群奴隶,叫他们到各自应该去的地方去,又带泰山和王子到隔壁的一间屋子中去,这间屋子是个套间,原来就是这位官员住的地方。

官员进屋之后,好像忽然想到了一件事:"刚才忘了要你们的通行证看,现在你们把通行证拿出来,让我看看!"

王子说:"我们没有开通行证。"

官员说:"你们没有通行证,总要说出个理由吧?"

王子说:"是的,我们有特殊情况。"

他立刻拿出钱袋里的金币,还故意把钱袋里的金币弄得叮当有声,说:"我们来找卡尔法斯托本,要向他买一个奴隶,因为我们出来得太仓促了,所以没来得及带通行证。你能指引我们到卡尔法斯托本那里去吗?"

那官员见了金币,说:"我当然可以告诉你们他的住处,他就住在王宫圆屋的第五层楼上,位置就在王宫走廊和武士走廊之间。他今天早晨,刚刚满了服役的期限,你们在他的住处,多半能够找到他。"

王子向官员行了一个密纽尼安族的鞠躬礼,说:"谢谢!"说着,他又掏了一枚大金币出来,交给那官员,"蒙你笑纳这一点馈赠,放我们出去找卡尔法斯托本,我们会非常感激你呢!"

那官员马上伸手接了金币,满脸堆笑地说:"你们不必这样客气,我一定接受你们诚意的礼物,可以用来救济穷人。你们现在可以出去了,祝你们一切顺利。"

三人一同行了个鞠躬礼,于是泰山和王子走出官员的屋子,很快,他们俩又回到阳光下,呼吸到新鲜空气了。

泰山看了刚才王子和那官员打交道的整个过程,不禁叹息着说:"原来矮人国里也兴这一套呢!"

王子不解地问:"你这话是什么意思?难道你还在什么别的地方也见过这一套?"

泰山说:"你刚才的一套做法,让我联想到人和野兽的差别,其实在我看来,丛林中的动物,倒还有更多的公平,而人们偏偏管它们叫野兽。"

王子说:"那么按你看,该管它们叫什么呢?"

泰山说:"用人类的标准来判断,人和兽相比,野兽倒不那样贪婪,还有几分道德,它们似乎比人更接近神明一些。"

王子听后笑了说:"我明白你的意思了。可是有些事,你碰到人就好办,碰到野兽就难办了。假如刚才在出入口守卫的不是武士,而是一头雄狮的话,我们的一枚金币,绝对不起任何作用,我们也绝对脱离不了危险,人的弱点,也常常和道德相伴随的,正因为如此,正义往往战胜邪恶,所以贿赂也需要穿上道德的外衣。"

他们回到了王宫圆屋,绕过建筑物的东面,转到北面,走到了奴隶走廊。他们是有意从这里走的,因为方才他们逃出来时,是从西面的武士走廊来的,如果再从原路回去,来往的次数太频繁,恐怕被人看出破绽。这一路,他们走得却很顺利,丝毫没受到阻碍,走了一会儿,已经到达了第五层,也就是矿穴中那位看守官员告诉过他们可能找到卡尔法斯托本的地方。这一路上虽很顺利,但他们一直保持着高度警戒,每一步都小心翼翼。

他俩都知道,去找卡尔法斯托本这事危险重重。但他们现在已没有别的办法,只能鼓起勇气往前走。到了奴隶走廊和武士走廊之间,王子拦住了一个女奴隶,问她知不知道卡尔法斯托本伍长住在哪里。

女奴回答说:"你们必须经过哈马答拉本的住处,才能到达卡尔法斯托本的住处。"她一边说一边指,顺走廊过去,向前第三个门就是哈马答拉本的住处了。于是他们离开了这个女子,泰山问王子,从这里到卡尔法斯托本的住处是否会有什么困难。王子回答说:"我估计路上不会有什么困难,麻烦是在我们到了那儿以后怎么办？"泰山回答说："我们俩都该知道应当怎么办,我们的目的非常明确,一定要实行原定的计划不可,我们必须克服重重障碍。""你说起来当然非常简单！"王子不由得大笑起来。泰山却勉强地笑了一下说："说老实话,我没有什么太长远的打算。如果我们能找到卡尔法斯托本,能成功地找到苔拉丝卡尔,并把她带走,我就满足了。因为在这个陌生的地方,我很难预料咱们还将面对什么意外情况。下边的事也许会很顺利,也许会在未来的十几步里完全失败。"

他们按照女奴的指引,走到了第三个门前,向里边一看,地板上坐着几个女人,有两个似乎是属于武士阶层的,其余的都穿着白制服。王子鼓起勇气来问她们："这里是哈马答拉本的住处吗？"

一个女人回答说："是的。"

王子又继续问："那么,在他隔壁住的是卡尔法斯托本吗？"

那女人又回答说："不错。"

王子又问："卡尔法斯托本住所的再隔壁,住着的是什么人呢？"

那女人回答说："那里有一条通外面走廊的甬道,那儿有很多住宅,住着几百个人呢,那里的人,我并不都认识,你们到底要找谁？"

王子随口编了一个人的名字,很快地回答说："我们要找巴拉托克。"

那女人皱着眉想了好一会儿,回答说："我可不记得有叫这个名字的人。"

王子赶快说:"还是让我们自己去找吧,谢谢你!我只想经过卡尔法斯托本的住处,找到那条甬道,就可以找到巴拉托克的住处了。或许卡尔法斯托本会指点我们怎么走。"

那女人说:"我刚才看见卡尔法斯托本同哈马答拉本一起出去了,希望他们会很快回来,你们不妨在此稍等。"

王子说:"谢谢你,我相信我们能找到巴拉托克的住所,不会有什么问题的。祝你蜡烛点得长久,永远光明。"他不想再多说什么,走过这间屋子,照直向卡尔法斯托本的住处走去,泰山紧跟在王子的身后。

王子说:"我的朋友,我看咱们得赶快行事了。"

泰山往一间屋子里面望去,见里面空空的没有人。他推开旁边的一扇门,里面很黑暗,就请王子拿一支蜡烛来,王子从壁龛上取下来两支。烛光立刻把屋里照亮了,泰山向周围看了看说:"这是一间储藏室,放着衣服、食物,还有蜡烛。看来卡尔法斯托本不是一个穷人,苛捐杂税还没有使他破产。"

泰山忽然听到隔壁的房间里有几个男人说话的声音,他猛地转过身来,因为他听出几个人的声音当中,有一个正是卡尔法斯托本。

泰山听到卡尔法斯托本用极粗暴的声音在说:"走,到我的住处去。我把那个新奴隶给你看。"

泰山连忙把王子推进储藏室里去,他自己也跟着进去了,把门关好,低声问王子说:"你听见了吗?"

王子说:"我听出来了,在隔壁说话的正是卡尔法斯托本。"

在储藏室的门上,有一个小洞,正好可以看见外面。他们听见有两个男人走过来了,一边走还一边在说话。

只听得卡尔法斯托本说:"你是没有看见她,若看见就知道了,她可真是个美人儿呢!等一会儿,我把她捉来给你看。"

随后,听到那两个人走到另一间房子的门前,接着是钥匙开门的声音,屋门开了,听到卡尔法斯托本喊着:"出来!"

王子从门的小洞里看到,有一个姑娘走了出来,慢慢地走到一间大屋子里去,她对卡尔法斯托本轻蔑地看了一眼,她生得十分美丽。王子跟她相处过很长一段时间,她曾经为王子烘烤食物,但王子还是第一次发现,她竟是这样惊人的美丽!卡尔法斯托本给她穿上了一件很好的白制服,衬着她白皙的皮肤,乌黑的头发,比她从前穿绿色奴隶衣服的时候,实在是美丽多了。

卡尔法斯托本对他的朋友说:"她虽然属于赞茨罗哈格,但我相信赞茨罗哈格一定没有见过她,不然,他早会把她占为己有了,哪里等得到我来买她?"

他的朋友问:"你打算改变她的地位,娶她做你的妻子吗?"

卡尔法斯托本说:"不,我不打算那么办。因为我一旦娶了她,她不再是奴隶,我就不能卖掉她了。女人的花费太大,我不愿长期养着她。如果有人愿意出高价,我当然愿意转卖了她,乐得赚一笔钱。我相信我这个办法是很划得来的。"

泰山听到这里,愤怒已经充满了他的胸膛,他两个拳头握得紧紧的,好像一拳要打死一个仇人一样。王子也不由得伸出右手,握住了短刀。

这时,从隔壁房里走过来一个女人,站在门口说:"刚才有两个从石矿来的武士,还有一个绿衣服的奴隶,他们说要见卡尔法斯托本。"

卡尔法斯托本说:"他们在哪里,叫他们进来吧。"

过了一会儿,又走进来了三个人,其中那个奴隶,正是卡拉夫塔。

卡尔法斯托本见了卡拉夫塔,摆出一副和蔼的面孔说:"我的好奴隶卡拉夫塔,你是我石矿中最好的一个了。"又转头问那两个武士,"你们把卡拉夫塔带到这儿来有什么事?"

两个武士之中的一个说:"他说他有非常重要的消息,一定要当面告诉你。他说他的消息非常准确,可以用生命做担保,长官吩咐我们把他带到你这儿来。"

卡尔法斯托本听了,有点惊讶地问:"卡拉夫塔,你有什么消息,值得这样大惊小怪?"卡拉夫塔高声说:"嘿,我这个消息,别说赞茨罗哈格,就连国王,恐怕也是愿意听的。如果我说出来,你们可不能再让我回石矿里去了,因为,那里的奴隶一旦知道我做了这件告密的事,一定会杀死我的。你一向对我很好,所以我特来向你报告。但我说之前,必须向你提出请求,一是你要保证我的安全,二是要准许我升为白衣奴隶,作为我来报告的酬劳。"

卡尔法斯托本踌躇了一下,说:"可是,你应该知道,我是没有这个权力的呀!"

卡拉夫塔说:"这我知道,我早想过了,国王是有这个权力的,如果你替我去请求他,我想,凭我报告的事的重要性,他一定不会拒绝。"

卡尔法斯托本说:"你带来的消息,如果是真的那么有价值,我可以为你去请求国王。不过,我能做到的也仅仅是这么一点。"

卡拉夫塔说:"你肯答应我这一点,我已经很满意了。"

卡尔法斯托本说:"好的,那么,我答应你。你怎么知道国王也会认为这个消息十分重要呢?你有这个把握吗?"

卡拉夫塔说:"这个消息重不重要,你不妨先听一听。凡尔多皮斯马库斯城里的人都知道,石矿里的人也都知道,昨天有两个奴隶从王宫圆屋的顶层上逃走,跌下来摔死了,他们一个叫'巨人',另一个叫阿邦托。他们是赞茨罗哈格的奴隶,我们曾经在同一间大屋子里住过,所以我认识他们。可是,这两个人并没有死,我刚才和一群奴隶一起走,在隧道里,我清清楚楚地看见了这两个人,他们穿着武士的衣服,往地面上走去了。难道这不奇怪吗?这件事不值得你查一查吗?"

押卡拉夫塔来的武士中,有一个人突然插话说:"你说的是什么样的两个人?"

卡拉夫塔便把自己所看见的,所记得的,尽量详细地讲出来。

那武士高声说:"不错,是有这么两个人,刚才我也碰见过。这两个人曾经拦住我,向我询问卡尔法斯托本的住处。"

这时,有一群男男女女都聚在卡尔法斯托本住处的门前看热闹。他们看见两个武士,押着一个绿衣奴隶,到卡尔法斯托本的住处来,不知发生了什么事,所以好奇地围过来看。人群中有一个年轻女奴隶说:"这是真的,就在刚才,这两个人也向我打听过卡尔法斯托本的住处在哪里。"

另外一个女人声音发抖地说:"不久之前,这两个人曾经走过我住的地方,也问到过卡尔法斯托本,可他们不是问卡尔法斯托本住在哪里,而是提了另外一个人的名字,这个名字我从来没听说过。"

她身边的同伴这时提醒她说:"他们问的是一个叫巴拉托克的人。"

卡尔法斯托本想了想说:"我记得王宫里没有叫这个名字的人,我想,这是他们编造出来的,目的是想混进我的住所。"

有一个守卫的武士插嘴说:"或者,是想骗过她们。"

另一个武士说:"我看,应该赶快搜查这两个可疑的人了。"

第一个武士也被提醒了,说:"把卡拉夫塔看守在这里,先不要让他走,等我们回来再说。卡尔法斯托本,你这间屋子里,还有隔壁的一间屋子,都该认真搜查一下。快来!"说着,他就走出这间屋子,向走廊里走去。和他同来的武士和一群看热闹的人,都跟在他身后,想要去看个究竟。这时留在屋里的,除了卡尔法斯托本和卡拉夫塔之外,还有几个女人。

十八
逃入隧道

卡尔法斯托本立刻转过身来,打算先搜查他自己的住所,卡拉夫塔却伸手拦住了他。

卡拉夫塔对他说:"卡尔法斯托本,慢着。你与其在屋里到处找,倒不如把通往你住所的各扇门都关上,这样,断了他们的通道,岂不是更容易捉住他们吗?"

这句话提醒了卡尔法斯托本,他点了点头说:"不错,卡拉夫塔,你这话说得有理。咱们现在就照你说的办,开始搜查。"他又转身对那群女人说,"你们这群女人都出去,不要在这里碍手碍脚!"一边说着,一边挥手赶她们到隔壁的房间去。只一会儿的工夫,从这间房子通到他朋友的住处,以及通往甬道的门,都关上了,并且上了锁。

卡拉夫塔又提了个建议说:"现在咱们可以开始动手了,可是,他们是两个人,而且手里都有武器,我看,最好也给我一件防身的武器。"

卡尔法斯托本挺着胸膛高声说:"我卡尔法斯托本一个人就足能对付十几个人,你不用怕,不过,为了你便于自卫,你可以到隔壁房里去拿一把刀,我必须先把这个倔强的女奴隶关到老地方去。"

卡尔法斯托本说着,就去抓住苔拉丝卡尔的胳膊,把她往原来监禁的地方拉。卡拉夫塔听了卡尔法斯托本的话,就到储藏室去,准备拿一件武器。

卡尔法斯托本拉着苔拉丝卡尔走到门口,忽然停住了,一把扯住她说:"等等,我的美人儿,先不忙那么快走,在你离开这里之前,先让我亲个嘴儿吧。别发火,也别使性子,这里只有咱们两个人,那些奴隶们都走了。乖乖,你没有必要装腔作势了。你已经是我的人了,也只能跟我在一起了。"

苔拉丝卡尔霍地转过身来,看准了卡尔法斯托本的脸,狠狠地抽了一巴掌,尖叫着说:"畜生,别拿你的脏手碰我!"

卡尔法斯托本挨了这重重的一巴掌,也恼羞成怒了,吼道:"你这野猫,你敢打我。好,你等着瞧,有你的好看!"他骂着,却没有松手,两个人撕扯着,滚进屋子里去,看不见了。这时,卡拉夫塔走到储藏室门口,打开门栓,走了进去。

在黑暗中,突然有一双像钢铁一样的手,掐住了卡拉夫塔的喉咙。他感到了恐怖,想要喊救命,但喉咙被掐得很紧,他喊不出声。他拼命挣扎着,用手去打掐他的人,他觉得对手力量非常凶猛,不像是人类能做得出来的。这时,他的耳朵里,听到了一声冷冷的低语:"这是你该受到的惩罚,谁让你向卡尔法斯托本告密,出卖你的伙伴?现在掐住你的人,就是你要找的人!"边说着,泰山的手越掐越用力了,开始卡拉夫塔还断断续续地挣扎着,到后来,渐渐不支了,最后,他的颈骨终于被泰山扼断了。泰山见他已死,就丢开了他的尸体,跳到卡尔法斯托本的屋子里去,想要去找苔拉丝卡尔,王子紧跟其后。

那扇屋门,在卡拉夫塔刚才挣扎时,已经关上了,泰山推开门,往里一看,只见苔拉丝卡尔被卡尔法斯托本抓住,因为她还在反抗,卡尔法斯托本气得发狂,就不断向她脸上挥着拳头,她还在挣扎,想从卡尔法斯托本手中挣脱出来。

卡尔法斯托本的注意力全在苔拉丝卡尔身上,没有注意到有人进来了。忽然感到有一只强有力的手,抓住了自己的肩头,同时,一声低而有力的话语声,就响在他的耳边:"你不是要找我们吗,我们就在这儿!"

卡尔法斯托本立刻放开苔拉丝卡尔,转过身来,抽出身边的短刀。他转过身来才看清,面前是两个武士,还都有武器,只有王子的刀是握在手里的,泰山的短刀并未拔出来,依旧挂在腰间。

泰山重复着卡尔法斯托本自己的话说:"你刚才不是说,你一个人就能对付十几个人吗?现在这儿只有我们两个人,但是,我们不能等你显一显本领给我们看了,真是对不起!如果你没有欺侮这位姑娘,我们原打算把你锁在这里就是了,等一会儿自会有人放你出来。现在,我既然看见了你对这位姑娘如此粗暴,那对你就只有一个判决了!"

"卡拉夫塔!"卡尔法斯托本声嘶力竭地叫着,他的声音已经发颤了,他猛摇着双手高声喊叫,"卡拉夫塔,快来救我!"

泰山严厉地对他说:"你不用叫了,卡拉夫塔已经死了。我们之所以处死他,是因为他卖友求荣。现在,该轮到你了,你对于一个没有抵抗能力的女奴隶,这样残暴地殴打,我们还能饶过你吗?"说着,他转身对王子说,"柯莫多弗劳伦萨,杀死他!我们不能再在这里多耽误时间了。"

王子立即跳过来,举起短刀刺进卡尔法斯托本的胸膛。苔拉丝卡尔跑过来,高声叫着说:"真没想到,你们两位也会在这儿,我总以为再也见不到你们了。你们是怎么到这里来的?你们救了我,自己的处境可太危险了!你们赶快远走高飞吧!我不知道你们该从哪里逃出去,但你们必须离开这里,千万不能让他们在这里找到你们。我真不懂你们为什么要来这儿,这儿都是他们的人,你们不是来送死吗?"

王子对她说:"我们本来是想逃出去的,可是泰山不愿意丢下你一个人在这里,所以先到石矿里去找你,听说你被带到这里来了,我们又找到王宫圆屋里来。我们原来以为不一定能找到你的,没想到真找到了。"

苔拉丝卡尔瞪着惊奇的眼睛,看着泰山说:"你真的冒这么大危险来救我吗?"

泰山说:"从前在石矿里的时候,你对我很好。我也答应过你,如果有逃走的机会,一定带你一起走。现在真的有这种机会了,我们三个人当然一同走,怎么能说了话不算呢?"

泰山领着苔拉丝卡尔走到外面的屋里,王子两眼发呆地望着地板。泰山看着他呆呆的样子,不知他在想什么。这时因为时间紧迫,必须赶快离开,没有时间细想,也就把这个心思放在一边了。

泰山问:"柯莫多弗劳伦萨王子,对这里的建筑,你比我熟悉,你知不知道从哪儿逃出去比较安全?"

泰山一边问着,一边又向室内上下左右环顾了一下,他看着屋顶说:"你看,天花板上有一个天窗,你知道它可能通到哪里吗?"

王子看了看天窗说:"我也说不准,这条路也许不通。据我所知,有的天窗是通上层的,有的也可能通秘室,有些甚至可以通上层走廊。"

他们正在商量从哪儿走好,这时,通隔壁那间房间的门,已经有人在那里拼命地敲,只听到一个女人的声音在叫:"卡尔法斯托本伍长,快开门。这儿有一个从石矿来的武士,要找卡拉夫塔,赞茨罗哈格要他去,因为赞茨罗哈格已经发现有奴隶被谋杀了。"

王子低声对泰山说:"事不宜迟了,咱们得赶快从甬道上走!"说着,他就拉起泰山,朝通甬道的门奔去。

哪知跑到那儿一看,也有人在打门,而且那扇门是锁着的。这时只听得走廊上有人喊:"卡尔法斯托本伍长,请让我们进来,那两个奴隶不是从这条路逃走的。快,快开门哪。"

泰山飞快地向四周扫了一眼,脸上露出要准备一场恶斗的样子,他知道一场战斗是不可免了,只有拼着干了。他用眼睛量了量从天花板到地面的距离,他这时忘记自己的身体已经变小了,他用尽全力向上跳去,希望能抓住天窗的一个边。他虽然身体变小,但原来的气力仍在,没想到一下用力过猛,他竟越过天窗,落到另外一间黑暗的房子里去了。他回转身来,望望留在下面的王子和苔拉丝卡尔,不免有点犯起愁来,自己出乎意料地竟跳上来了,他们两个可怎么上来呢?

他踌躇了片刻,问:"太高了,你们恐怕跳不上来吧?"

下面的两个人都说:"我们肯定跳不上去,这可怎么办?"

泰山转过身,用双脚稳稳地钩住天窗的边沿,身子倒挂下来,想拉他们两个上去。这时,甬道那边打门的声音更急了,隔壁房里还有人怒声地喊:"快开门!我们有国王的命令,快点把门打开!"

在甬道这边打门的人也在喊:"你们自己开好了,嚷什么!"

隔壁房里的人又喊道:"锁在你们那一边呢,我们怎么开?"

甬道里的人简直发怒了,吼道:"我们这边没有锁,锁明明在你们那一边呢,你们活见鬼了吗?"

隔壁房里的人越发大声地怒吼道:"你扯谎!我要去报告了国王,你们可小心自己的脑袋!"

泰山趁他们两边吵的时候,稳稳地挂好了身子,告诉王子,把苔拉丝卡尔抱起来,举高,递给自己,然后,苔拉丝卡尔抓牢泰山身上的皮带,泰山把她拉上来,放在上面黑暗的房间里。两边门外,狂怒的武士还在拼命地砸门,门已经快被他们打破了。泰山在上面说:"王子,你先在衣袋里装满了蜡烛,再跳起来拉住我的手,我保证能把你拉上来。上面太黑暗了,没有蜡烛是不行的。"

王子说:"我知道的。刚才在储藏室里,我已经把蜡烛装满衣袋了。现在你注意,我要跳上来了。"

泰山一把拖住王子,用力把他拉了上来。这时通走廊的那扇门,有些地方已经被打碎,木片都飞了进来。泰山他们三个人在黑暗中俯下身去,向下望着,只见隔壁的门已被打开,十几个武士和一个伍长从门外冲了进来。他们到了屋里,向各处望望,见屋里并没有人,都感到吃惊。接着,他们听见对面的门外,也有人在重重地捶着门,那伍长忽然明白过来,脸上带着微笑,走到那扇通甬道的门前,把它打开了。门外几个武士气势汹汹地冲进来,那个伍长连忙说明刚才的误会,两边都在拼命打门,其实双方都是自己人。弄明白了之后,大家都觉得很不好意思,不觉哈哈大笑起来。

等大家都静下来之后,那个伍长问:"刚才究竟谁在这屋子里?"

方才在隔壁的一个女人回答说:"是卡尔法斯托本伍长,还有一个穿绿衣服的奴隶,仿佛是叫什么卡拉夫塔的。"

那伍长说:"他们现在在哪里,赶快搜查一下。"

这时有一个武士忽然指着储藏室门边的地板说:"看,那儿不是躺着一个人吗?"

他们都顺着他的手看去,首先看见的是一只紧握成拳头的手,从那僵硬而卷曲的手指上,能看出这个人死亡时,曾经经受过一番很大的痛苦。大家都朝那死尸望去,一时谁也没有动。有一个武士,走到储藏室门前,把门大大打开,把卡拉夫塔的尸体拖到一边去。武士们和隔壁的女人们,见了这番情景,都不免疑神疑鬼,有点胆虚起来。那伍长总还算是个勇敢的人,在这几间房里找来找去,在最后一间房里,找到了卡尔法斯托本的尸体,一看,胸口已经被刺穿了。

现在,幸亏泰山等三个人都在暗处,没有被下面的人发现。泰山低声对王子说:"如果能找到出路,我们现在得赶快走了。说不定他们过一会儿会注意到这扇天窗。"

于是他们叮嘱苔拉丝卡尔先待在这里不要动，泰山和王子十分小心地分头沿着墙壁，在暗中向前摸索，希望能找到一条出路。这里面灰尘积得很厚，几乎可以没到脚腕，显然很久没有人走过了。泰山在黑暗中低声说："你们俩都到我这儿来，我已经找到一条路了。"

苔拉丝卡尔轻轻走近泰山，问："你找到了一条什么路？"

泰山说："在靠近墙角的地方有一条路，足以容一个人爬过去。让我先过去看看，这条路到底是通到哪里去的。"

苔拉丝卡尔于是待在暗中不动，她听到泰山爬过去的声音，但是看不见他的动作，这个地方一点光线都没有，实在是太黑了。

王子和苔拉丝卡尔在黑暗中等着，泰山很久都没有回来。他们听见下面的房子里声音很杂乱，他们担心下边的人会注意到这扇天窗。其实，他们这个担心是多余的，他们不知道，这里的人十分迷信，以为天窗上面是妖魔鬼怪藏身的地方，他们是决不敢上来送死的。所以，下面所有的人决不敢上来。

过了好一阵，苔拉丝卡尔焦急地问："他怎么还不回来呢？"

王子问："怎么，你很关心他，是吗？"

苔拉丝卡尔有点不满地反问道："他去找出路，是关系到咱们三个人的生死，我怎么能不关心他呢？难道你不关心他吗？"

王子说："对，你说得对！"

苔拉丝卡尔又问："你觉不觉得，他这个人很神秘？"

王子回答说："不错，我也有这个感觉。"

苔拉丝卡尔说："我真希望他快点回来，可别遇到什么危险。"

王子说:"当然,我也希望他快点回来。"

果然,正在他们焦急盼望的时候,只听泰山从刚才爬过去的隧道深处低声叫道:"来吧,你们可以过来了。"

于是苔拉丝卡尔在前面,王子跟在她身后,在弯曲而黑暗的隧道里,俯着身体爬过去。他们在黑暗中爬行了较长的一段,忽然看见前面有一线光亮,原来是泰山已经到了一间小屋子,在那里点起了一支蜡烛。这间小屋非常低矮,稍高一点的人,会直不起身来。

等他们都走到了,泰山对他们说:"我好不容易才找到了这个地方,我们尽可以躲在这里,点起蜡烛来,不必担心会有人发现我们,所以我才叫你们来的。我们可以暂时歇一歇,这里比较安全舒适。等一会儿,我再去探探前边的隧道通往哪里。我看这隧道里尘土这么厚,恐怕有很多年没有人走过了,我猜想他们不会到这里来寻找我们的。"

苔拉丝卡尔还是比较细心的,她忽然问:"我们爬过的地方,会有痕迹的,他们会不会跟踪我们?"

王子想了想说:"我认为是有这个可能的。现在,我们既然不宜从原路回去,那就不如一直再往前走。我想,隧道的那一头,很可能通到另一间房子里,我们也许可以从那里找到一条逃走的道路。"

泰山说:"王子,你说得不错,我们停留在这里,一点儿好处也没有。这样吧,我走前头,苔拉丝卡尔跟在我后面,王子殿后。即使没有出路,也没有什么损失。"

他们三人商量好了,就用蜡烛照着,艰难地往前爬。地面上崎岖不平,整个隧道又是曲曲弯弯,很不好走。他们艰难地爬行了好长一段路,突然发现前面宽阔了许多,可以站直身子了。但是隧道在这里却倾斜得很厉害,好像要走到下一层去似的。最后,他们走到了一间小屋里,忽然,苔拉丝卡尔伸出一只手,紧紧地拉住了泰山,仿佛有什么事使她惊骇得连话都说不出来了。

泰山惊奇地回头看着她,她才指着前面黑暗中说:"你看,那是什么?"

泰山顺着她所指的方向看去,只见屋里的墙角处,有一堆东西在那儿蜷伏着,但看不清楚究竟是什么。

这时,苔拉丝卡尔又吃惊地叫起来:"你看,那边还有,到底是什么呀?"泰山见她指着另一个墙角。

泰山甩脱了苔拉丝卡尔的手,快步往墙角处走去,左手高举着蜡烛,右手握着短刀,他走近了,俯下身子仔细观察,由于尘埃很厚,看不清楚,他就伸手去摸,那堆东西,随着他手的触动,立即化为了粉末。

苔拉丝卡尔站在远处问:"那到底是什么?"

泰山回答说:"看来是个人,他死去多年了。死之前是被锁在墙上的,这不,锁链还在这儿,已经生锈了。"

苔拉丝卡尔又问:"那么说,那边墙角上那个也是吗?"

这时王子也看见了,说:"不止这两个呢,你们看,还有好几个,那儿不也是吗?"

泰山说:"不用怕,他们都是死人,决不会拦阻我们的。"说完,他领着王子和苔拉丝卡尔向对面一扇门走去。

王子缓缓地说:"由于这些死人的存在,也向我们说明了一个情况。"

泰山问:"你认为这说明了什么?"

王子说:"我认为这条隧道一定通往一个极有权威的人的住处,因为他有权势,才能随便处死这些人。而且事情的发生年代一定很久远了。"

泰山也说:"看尸体一捻就成粉末,时间确实是很久远了。"

王子这时又发现了什么,继续说:"我刚才说得不确切,年代恐怕也不见得太久,因为这里有很多蚂蚁,用不了太多的时间,蚂蚁就能把尸体吃成这个样子。过去,在我们特劳汉纳达尔马库斯城里,总是把那些死人留在圆屋里的,蚂蚁像清洁工一样,把他们的尸体吃得干干净净。蚂蚁有时候也攻击活人,它们又讨厌又可怕,咱们还是避开它们走较好。过去在我们国里,活人也和蚂蚁打过仗,我们和蚂蚁大战,竟也死过几千个武士呢。虽然无性的工蚁被我们杀死很多,几乎成千上万,但蚂蚁的女王,会很快繁殖它们的蚁类,简直杀不胜杀。后来,我们找到了它们的巢穴,在那里又进行了一场殊死的战争,杀死了蚁后,我们的圆屋里才没有蚂蚁了。但它们仍有些生存在圆屋外面,不过,它们也怕我们。从那儿以后,我们再不敢把尸体放在圆屋里面,免得把蚂蚁惹进来。"

泰山思索着说:"照你这么说,可以断定这条隧道是通往一个贵族的住地了?"

王子说:"至少从前是这样。这么长的时间,说不定有了变化。这条隧道的尽头,也有可能被堵死了。隧道尽头的房子,过去大概是王子的住所,以后也有可能改建成军队的驻扎地,或是王室养羚羊的地方。但是我现在还无法作出准确的判断。这条路显然好久没有人走过了,也许今天凡尔多皮斯马库斯的人,已经不记得有这条路了。"

经过放尸体的那间屋子,隧道直通到下面一层,又到了一间房子里。这间房子有前面走过的两间大,地板上也有许多尸体。由于他们在前面一间房里已经看到过一次了,所以这间屋里的尸体虽然比前一间还多,苔拉丝卡尔倒没像前一次那么害怕。

泰山向周围看了看说:"这些人死之前倒没被锁在墙上呢,他们似乎死得自由些。"

王子说:"不,他们是在战斗中死的,你看他们的短刀还没插入鞘里,从他们骨架的姿态也可以看出来。"

他们三个人正在这间屋子里打量着、议论着,突然听到有人声隔着墙壁送到他们耳朵里来。

十九
公主珍萨拉的房里

自泰山驾飞机走了以后,日子一天天地过去,却总不见他回来。儿子杰克和儿媳梅林越来越不安了。他们终于忍不住派了几个人到附近去寻找,但是每次都无功而返。他们甚至派出了经常跟着泰山的瓦齐里武士,回来也都垂头丧气。杰克无计可施,只好到附近的电报局去,给非洲各大城市拍电报,去打听他父亲所驾的飞机,是否迫降在什么地方了,凡是看到或听到的,请赶快给个回音,必有重谢。但是各处的回电,也都是否定的。

最后,杰克挑选了一队勇敢精壮的瓦齐里武士,由自己带领着去寻找泰山。途中,他们经过了很多村庄,受到了当地土著人的款待。周围的地方几乎都已走遍,却没有得到一点有关父亲的消息。

此时的泰山,正在凡尔多皮斯马库斯城的皇家圆屋中。他同柯莫多弗劳伦萨王子以及苔拉丝卡尔站在石壁跟前,听见石壁的那一面似乎有说话声传来,那声音好像来自他们周围的石壁中。他们听了半天,实在感到惊奇而不解。他们看了看地板,堆着些早已死去的人骨,在这些骨骸上,蒙着厚厚的灰尘。

苔拉丝卡尔听着不知从何处传来的人声,似乎有点害怕,就紧紧靠在泰山的身边,低声地问道:"你听,这是什么人的声音?"

泰山摇了摇头。

王子说:"听起来,像是个女人的声音。"

泰山把蜡烛高高举起,快步走向左边的墙壁前,上下左右环顾了一阵,忽然用手指着一个地方,让王子和苔拉丝卡尔看。他们顺着他的手看去,在泰山头上一两尺的地方,墙壁上有一个窗洞。泰山把蜡烛递给王子,又把手里的刀放在地上,纵身跳上去,双手攀住了那个洞口。在那里静静地听了几分钟,又跳了下来,说:"那边很黑,看不见什么,听那说话的声音,像是从这间屋子隔壁传过来的。我刚才看这间屋,并没有人在里面。"

王子问:"你刚才说那间屋里很黑,什么也看不见,你怎能断定屋里没有人呢?"

泰山说:"如果那屋里有人,我会用鼻子闻出来的。"

王子和苔拉丝卡尔都惊奇地望着他。泰山从他们的目光中,看出了他们是半信半疑的,于是解释说:"我自信我的嗅觉是对的。因为我能感到有一阵气流,从那边的屋子里,通到洞口,送到咱们这边来。那边屋里如果有人,他身上的气味,一定逃不过我的鼻子。"

王子说:"你的嗅觉能有这么灵敏吗?别的我都能够相信你,这一点,你却没法让我相信。"

泰山笑了笑说:"我自己是确信这一点的,你们不妨在这儿等着我,我要亲自去调查一下。因为我可以断定,那声音决不是经过石壁传到这里来的。那女人说话的屋子里,一定也有一个洞口,所以我们这里才能听得见。我们为了能逃出去,必须查清每一个可能出去的地方。我有必要到那边去调查一下。"说完,他就向有洞的那堵墙走了过去。

苔拉丝卡尔稍微提高了声音叫道:"我说,咱们三个人最好别再分开了,与其放你一个人到那边去,倒不如咱们三个人都去。"

王子说:"我认为她说得有道理,两把刀的力量,总比一把刀要强。"他虽然这样说,可是从他的声音中能听出来,他并不是太有勇气。

泰山说:"还是我一个人先去的好,一个人要灵便得多。等我看好了,你再带苔拉丝卡尔过来。这样更稳妥些。"

王子听他这样说,也只好同意了。等泰山去了回来之后,他们三个人都跳到了墙的另一边。借着微弱的烛光,他们看见前面有一条狭窄的通道。这条通道,却和通往卡尔法斯托本那里的那条隧道不同,仿佛不久前还有人走过的痕迹。他们所经过的地方,墙是用石头砌的,但另一面的墙上,却是用很多粗糙的木板镶成的。

王子一边端详着一边低声说:"据我看,这条通道的另一端,很可能通向一间用木板镶嵌而成的房子。"他观察了一会儿,又说,"这房子我估计建造得很讲究,板壁上一定油漆得非常华美,说不定上面还有光亮的金属装饰物。"

泰山问:"你看那边可不可能有一扇门,从这条狭窄的通道,通往你说的那间屋子?"

王子说:"那间镶着木板的屋子,可能有秘密的暗门。"

他们在狭窄的通道中,放轻了脚步,慢慢地向前走,留心地听着。开始他们只能模糊地听出来是女人说话的声音,但现在可以听到说话的内容了。

他们听到的最初一句话是:"……假如让我得到他的话。"

这时,另一个女人回答说:"我尊贵的公主,如果是这样,这事也不会发生了。"

接着,听到刚才的第一个声音又说道:"赞茨罗哈格是个呆子,简直该死!不过说来说去,我显赫的父亲,也是个更大的笨伯。他本心是想杀死赞茨罗哈格的,但至今不肯下手,原因就在赞茨罗哈格还在研究着怎样让我们的武士变大的技巧。他们如果答应我买那个巨人,我决不会让他有逃走的机会。他们以为我会杀死他,这回他们可猜错了,我才不会么做呢。"

那个似乎是侍女的声音说:"公主,你买了他,到底打算做什么用呢?"

公主似乎有几分恼怒地说:"这不是你一个当奴隶的该问的。"

接着,谁也没再说话,屋里寂静了一阵子。

泰山低声对王子说:"刚才说话的那个人,恐怕就是珍萨拉公主。她是爱克莫尔哈格国王的女儿,记得过去你对我说过,你打算把她捉来做你的王妃,现在,你可有足够的机会了。"

王子说:"人们都说她长得很美丽,不知道是不是真的这样?"

泰山说:"我在国王那里见过她了,长得确实很美,可是我总觉得她的心肠并不好。"

王子说:"我还是打算把她捉走。"

泰山静静地没有言语,心里却在盘算着一个计划。忽然,那边屋子里又传来了说话声。

似乎是公主的声音说:"听说他非常英勇,几乎到惊人的程度,跟我们的武士比起来,他不知比我们的人要英勇多少倍。"停了一会儿,她又说,"奴隶,你走吧,别让任何人打扰我。"

那个女奴隶低声说了几句祝福的话,就走出屋子去了。泰山等三个人听见那屋里有关门的声音。

泰山在通道里蹑手蹑脚地找通往珍萨拉房里的暗门,最后,倒是被苔拉丝卡尔先找到了。

苔拉丝卡尔低声喊道:"看,暗门在这里。"泰山和王子听到了,也都跑过来看。这个用木板镶成的暗门,十分简单,只是在镶板的某一个地方,轻轻按一下,门就会往里开了。

泰山对王子和苔拉丝卡尔说:"你们两个人就等在这里,我去把珍萨拉公主捉来。即使咱们不能带着她一起逃出去,也可以把她当人质,以她换取我们的自由。"

泰山没容王子和苔拉丝卡尔回答,就推开镶板上的暗门,闯进屋里去了。原来,里面是公主的卧房,此时,公主正躺在一张大理石做的床上,床头处点着一支巨大的蜡烛,脚边也点着同样的一支。

原来,这是密纽尼安族人的习惯,即使很富有或很有地位的人,起居室可以非常豪华,但是睡的床却不讲究,大多是铺一张草席在地上,或是木板上、石头上,就算是卧榻了。公主的床是大理石的,应该说是很华贵了。

泰山推开墙板上的暗门,轻轻走进屋里,一直走到公主的面前。公主丝毫没听见有人进来了,突然看见泰山站在她面前,不觉吃惊地跳了起来,两眼看着泰山,一时没有说话。过了一会儿,她似乎镇定下来了,慢慢地向这位丛林之王走来,看她这时的神情和动作,真像缓步走向一头捕获物的母狮。

公主开口了,她说:"原来是你,巨人!你是来找我的吗?"

泰山说:"是的,公主!你不要大声喊叫,我决不会伤害你。"

公主的脸上,也和颜悦色起来,她低声说:"好的,我不高声喊叫。"说着,她眯起眼来,投入了泰山的怀抱,并伸出胳膊围住了泰山的颈项。

泰山推开她,轻轻向后退了一步,说:"不要这样,公主!你还没有明白,现在,你是我们的俘虏。请你顺从地跟我走!"

珍萨拉喘着气说:"是的,我知道,我是你的俘虏。大概你还没有明白,我爱你!作为公主,自由择婚是我的权利,现在,我选中了你,你应该高兴还来不及呢,为什么要推开我?"

泰山不耐烦地摇摇头说:"这事很遗憾,我不能爱你。我现在不能浪费时间跟你多说了,你快跟我走!"泰山走过去,拉住了她的手腕。

公主轻蔑地半闭起眼睛说:"难道你疯了吗?不然的话,你就是还不知道我是怎样的一个人。"

泰山说:"你是珍萨拉公主,爱克莫尔哈格国王的女儿。这一点我早就知道了,我听别人说起过你。"

公主似乎生气了,她喘着粗气大声说:"你既然知道这些,就没有理由拒绝我的爱。"她的胸脯在一起一伏,看得出来,她情绪很激动。

泰山回答说：“我和你之间，不可能存在爱情。我之所以来找你，是关系到我和我朋友的自由和生命。”

珍萨拉问：“你已经爱上别的什么人了吗？”

泰山很坚决地回答她：“是的。”

珍萨拉急切地问：“她是谁？”

泰山说：“你没有必要多问。快跟我走！不然的话，我可要用武力强迫你了。”

公主在泰山面前静静地站着，她的每一块肌肉，都处在紧张之中，她的两只黑眼睛，闪烁着愤恨的怒火。这样僵持了一阵，渐渐地，她的表情起了变化，神情变得温和起来，并向泰山伸出一只手说：“好了，巨人！我一定帮助你逃出险境，因为我爱你，我会说到做到。来，你跟我来。”说着，她转过身去，向屋子的另一边走去。

泰山说：“等等，我还有两个朋友，我不能丢下他们不管。”

公主问：“他们在什么地方？”

泰山没有马上回答她这个问题，他猜不透她问这话究竟是好意还是恶意。他只简单地回答说：“你告诉我出去的路，我自会去找他们来。”

公主说：“好吧！我告诉你出去的路，这样，也许你会比爱别人更爱我些。”

这时，在木板墙外面的通道里，王子和苔拉丝卡尔在等待着泰山冒险的结果。他俩当然清楚地听到了泰山和珍萨拉公主的对话。王子低声向苔拉丝卡尔说：“你听到了吗？他亲口对公主说，他不爱她，既然这样，我想他一定是爱你的。”

苔拉丝卡尔摇摇头说："不，我可不这样认为，他不爱公主，未必能证明他就是爱我的。"

王子说："倘若他不爱你，我想你也一定爱他，我总觉得你和他是一见钟情。如果他不是我的朋友，我真想用刀刺穿他呢！"

苔拉丝卡尔不解地问："如果他真的爱我，你为什么要杀死他？我不过是个地位微贱的女奴隶，你难道就因为不愿他和我成为配偶，而要存心杀死你的朋友吗？"

"我……"王子迟疑地说，"我没法把我的想法告诉你。"

苔拉丝卡尔听了这话，先是笑起来，过了一会儿，她好像忽然预感到了什么不祥似的，带着呜咽的声音说："公主恐怕是带他到自己的闺房中去了，我看，咱们最好是跟着他。"

说着，苔拉丝卡尔就用手去推墙上的镶板，门开了，看见珍萨拉公主领着泰山正穿过屋子，往那边墙上的门走去。这道门并不是刚才公主的女奴出去的那道门。

这时公主低声对泰山说："跟我来，然后你才能知道珍萨拉公主是如何地爱你。"

泰山不明白珍萨拉的意思，只好小心翼翼地跟着她走。

公主回头看了泰山一眼，不无得意地说："你现在好像害怕了，你信不过我吗？你自己来看，在你没进这屋子之前，你先把一切看明白了再说。"

王子和苔拉丝卡尔这时已经走进珍萨拉的房子了，而公主领着泰山，已走到了那边的门边。王子和苔拉丝卡尔忽然看见泰山所站的地板，砰的一声陡然落了下去，泰山就不见了！泰山只觉得自己从一块倾斜的板子上滚了下来，下面非常黑暗，什么也看不见,只听得公主在上面发出一阵狂笑。王子和苔拉丝卡尔跳过来想救泰山,可是已经来不及了。刚才泰山掉下去的那块地板已经复原。公主站在上面,满面怒容,眼睛直盯着泰山落下去的地方。她十分得意地摇摆着身子,咬牙切齿地说:"如果我得不到你,其他任何人也休想得到。"

珍萨拉这时才听到身后有声音,回头一看,才看见不认识的一男一女在向她冲过来。

泰山从斜板上滚到了洞的底部,他站起身来,觉得并没摔伤哪里,就定了定神,向四周打量着。他从地洞里转了一个弯,到了一间屋里,这屋里点着许多蜡烛,光线很亮。蜡烛点在壁龛里,每个壁龛都有铁条遮着。屋子的对面有一道门,也是有铁条拦着的。从铁条的缝隙中望过去,那边也是一间有亮光的屋子,那间屋里有一个男人,低着头,坐在一把矮椅子上。泰山走进来的声音,似乎惊动了他,他抬起头来,看见了泰山,直跳起来喊道:"快,小心你的左边!"泰山赶快向左看去,只见两头巨大的眼睛放着绿光的野兽,正向自己扑来。

泰山第一个反应就是擦了一下自己的眼睛,他起初以为是自己的眼睛看花了,后来定睛仔细一看,才看清楚,那确实是两只普通的非洲野猫。样子和普通的野猫没有什么两样,只是个头儿要大得多。泰山一时忘了自己的身体变小了,只有原来的四分之一大,所以看这两只野猫,简直像狮子一般巨大了,其实它们和普通的野猫一样大小。

泰山看野猫向自己扑来,马上拔出短刀来自卫,这是他在丛林生活中养成的习惯动作。

只见两头眼睛放着绿光的野兽向自己扑来。

这时,那边屋子里的男人又喊起来:"假如你能避开它们,退到我这个铁门边上来,我可以打开门,放你进来,门栓是在我这边的。"但正当这时,一只野猫已经向泰山扑来。

王子冲过珍萨拉的身边,快步跑到刚才泰山掉下去的地方,想要看个究竟。只听得珍萨拉公主在他身后凶声恶气地喊了一声:"噢,我明白了,原来巨人爱的就是你呀!你死了心吧,你再也得不到他了!我不许你们在一起,就是死了,我也不让你们到一块儿!"王子还没听她把话说完,脚下的地板一动,他也身不由己地落入了陷阱。

这时上面只剩下苔拉丝卡尔,面对着狂怒的公主,她简直吓呆了,不敢再往前走。她正想往后退,公主抽出短刀,向她这个方向追了过来。

公主一边扑过来,一边恶狠狠地喊着:"你这该死的奴隶,我非杀死你不可!"她举起短刀,向苔拉丝卡尔的胸口刺去。苔拉丝卡尔迅速地避开她的刀,抓住公主的手臂,两个人扭打起来。她们两人都滚到了地上,公主拼命想刺死苔拉丝卡尔,苔拉丝卡尔时时躲避着她的刀尖,使劲地掐住公主的喉咙。两个人滚来滚去,打得难解难分。

在陷阱的下面,第二只野猫也向泰山扑过来了,这两只野猫都好像多日没吃东西了,都不愿意放弃得到人肉的机会。泰山避开第一只,接着又避开第二只。正在这时候,王子也掉了下来,正好落在第二只野猫跟前,他进公主房间的时候,手里本来就握着短刀的,虽然跌落了下来,短刀却还在手里。野猫冷不防又下来了一个人,倒吓了一跳,一下退到屋角里去了。等它们看清了形势,鼓起勇气,又扑了上来。

这时,在上面的苔拉丝卡尔和珍萨拉公主,也像两头拼着命的猛兽一样,打得很凶。她俩在地板上滚来滚去,扭打着。珍萨拉公主嘴里还不停地骂着:"你这该死的奴隶,你也配抢夺我所爱的人,休想!连他带你都休想活命!都给我去死吧!你永远也得不到他!"

苔拉丝卡尔比深居闺中的公主体力要强,她渐渐占了上风,但她们不知不觉也朝那个暗洞滚去。

当珍萨拉公主觉察到危险的时候,为时已晚,只听她惊慌地大喊一声:"野猫!野猫!"随着喊声,公主掉了下去,紧接着是苔拉丝卡尔。

柯莫多弗劳伦萨王子见野猫逃到墙角去了,并不急着去追它们,马上跳到泰山身边,两人合力去对付再次扑来的第一只野猫,边战边退,向另外一间屋的铁门靠近。那边屋里的男人,也随时准备开门,放他们进来躲避。

两只野猫再一次扑过来,又都被泰山和王子打退了。它们很快地跳了开去,因为它们过去曾经领教过人们手里尖刀的滋味。泰山和王子眼看就要退到铁门边了,后来,只差一步就可以跳进去了,可是野猫又扑了上来,两个人不得不再度合力反攻,把它们逼到墙角上去。那屋里的男人,在这时候开了门。

"快!快点进来!"那边屋里的男人喊道。这时候,突然从上面又掉下两个女人来,她们俩紧紧地扭在一起,正好落在准备扑上来的野猫跟前。

二十
携公主逃亡

泰山和柯莫多弗劳伦萨王子吃惊地看到苔拉丝卡尔和珍萨拉也掉了下来,而且就掉到两只野猫的跟前,连忙跳起来,向两个女人冲过去。那两只野猫也像刚才一样,见又有人落下来,吓了一跳,反而躲向屋角去了。当她们掉下来的时候,珍萨拉手里的短刀没有抓稳,掉到了地上,苔拉丝卡尔一见,飞快地把刀拾在手中,放开珍萨拉,跳到一边去了。泰山和王子这时跑了过来,站在她身边。那两只野猫看清楚了,只是又添了两个人,于是又扑上来开始进攻。

这时公主慢慢地爬起来,有点迷惑而又恐惧地环顾着四周。另一个房间里的男人,也看见她了,马上高声叫道:"珍萨拉,我尊贵的公主,别害怕,我来了!"他举起刚才坐着的矮椅,从屋里冲出来,因为他屋里没有别的武器,只有这把矮椅,他只好权且拿它当武器用了。他把铁门大大打开,跳了出来,另外的四个人,这时正面对着野猫。

那两只野猫,身上也伤了几处,现在是又疼又饿,几乎要发疯了。它们愤怒地咆哮着,不顾人们手里的利刃,扑了上来。泰山和王子把两个女人推向身后,一面攻击着野猫,一面退向门边。

那个举着矮椅的人,也加入了战斗,三人合力,打退了野猫的进攻。事实证明,矮椅用起来倒也得心应手,因为它比短刀更长些,抡圆了,是个很好的防身武器。五个人不约而同地向开着的铁栅栏门慢慢退去。突然,那两只野猫改变了战术,跳到五个人的后面,发起了进攻,好像它们也知道女人更容易捕捉一样。

有一只野猫扑近了珍萨拉,原来在屋里的那个男人手疾眼快,举起矮椅,对准野猫重重地打了下去,那野猫看情况不妙,只好放弃了珍萨拉,转身逃跑。那人高举着矮椅,紧紧地追着两只野猫不放。一边喊着一边打着,竟把两只野猫赶进了刚才他坐着的那间屋里。他一见野猫进了屋,这可是个好机会,他急忙关上门,把门从外面锁住,然后舒了口气,转过身来。

公主这才看清了那个人的面目,不觉失声叫道:"原来是你啊,赞茨罗哈格!"

那男人答道:"是的,公主!我是你的奴隶。"

说着,他屈了一膝,跪在地上,身子向前倾斜着,向斜前方高举起双手,表示对公主的尊敬。

珍萨拉说:"赞茨罗哈格,今天你救了我的命,请你别记着过去我对你不好的地方,现在你说吧,我该怎么报答你?"

赞茨罗哈格见公主脸上和颜悦色,壮起胆子说:"公主,我爱你!这一点,我想你早已看出来了。但现在你谈什么报答不报答,一切都太迟了,因为明天,国王就要把我杀死了。你是他的女儿,当然知道他的脾气,他作出的决定,从来不会改变的,即使错了,他也会坚持。"

珍萨拉说:"这个我深深知道。虽然他是我的父亲,我并不爱他。为了他自己做的一件不光明正大的事,他杀死了我的母亲。尽管他是我的生身父亲,但我还是要说,他是一个笨伯!天字第一号的笨伯!"

珍萨拉突然转过身来,看着泰山等几个人说:"这几个奴隶要逃跑,赞茨罗哈格!现在我倒萌发了一个想法,反正我父亲明天要杀你,待在这里,你是没有活路的了。倒不如咱们跟他们一起逃跑。他们也只有得到我的帮助,才能成功地逃出去,这不是一举两得吗?我的打算是,逃到他们的国土去,找一个能收容我们的地方。"

赞茨罗哈格想了想说:"这倒是一条出路,不过,在他们几个人里,必须有一个在他们国里有很高地位的,才能保护我们。"

泰山听了他们的对话,知道这是个好机会了,就指着柯莫多弗劳伦萨王子说:"你们知道他是谁吗?他就是特劳汉纳达尔马库斯城里,阿顿卓哈基斯国王的长子,王位的继承人,柯莫多弗劳伦萨王子呀!"

珍萨拉和赞茨罗哈格听了这话,顿时喜形于色。珍萨拉看了泰山一眼说:"巨人,是我想错了。我原来以为你会爱我,我自以为贵为公主,是不会有人拒绝我的爱的。现在我明白我想错了。"

她又转过身对苔拉丝卡尔说:"姑娘,你去和巨人在一块儿吧。"她轻轻地把苔拉丝卡尔推到泰山跟前,可是出乎她的意料,苔拉丝卡尔又走了回来。

苔拉丝卡尔十分冷静地说:"你弄错了,珍萨拉。我不爱他,而且我也知道,他同样也不爱我。"

柯莫多弗劳伦萨王子马上把目光转向泰山,他以为泰山一定会否定苔拉丝卡尔的说法,但泰山却点了点头。

王子仍不放心地问泰山说:"你真的不爱苔拉丝卡尔吗?"他的眼睛直盯着泰山的眼睛,仿佛要看到他心里去。

泰山说:"你说得不对,我很爱她。"王子一下愣住了,只听得泰山继续说:"我对她的爱完全不是你想象的那种爱,或者说,不是你所担心的那种爱。我爱她,因为她是一个好姑娘,一个真诚的朋友。而且,更因为她现在正处在危险之中,只有你和我才能给她帮助。在大荆棘林的那一面,我有幸福的家庭,我有心爱的妻子,因此,我不会像爱我妻子那样再爱任何女人。"

王子不再说什么,他沉思着,他想了很多。现在,他希望能平安地回到自己的国里去,恢复王子的地位。但是,按照他们本国历来相传的规矩,他应该和另一个国家的公主结婚。然而现在的情况是,他并不爱珍萨拉公主,他却深深地爱着苔拉丝卡尔。而无情的事实却是,苔拉丝卡尔偏偏不是个公主,只是凡尔多皮斯马库斯城的一个女奴,既不知道她的父母现在何处,更无从知道他的身世,自己怎么可以和她结婚呢?若娶她做妻子,如何向父王和国人交代呢?

王子真的很想娶苔拉丝卡尔,想把她带回本国,绝不拿她当女奴看待。他真的非常爱她,他对于自己刚才考虑的那些问题,都觉得对她是一种侮辱。他若不能娶她为妻,将会是终身的遗憾。由于这些想法萦绕在他脑子里,使得他愣在那里,闷闷不语。这时,其他的几个人,谁也没顾上问王子在想什么,都各自在思考怎样才能从这里逃出去。

这时,赞茨罗哈格指着一扇小门说:"给野猫送吃食的人,每天都是走这扇门的。"

珍萨拉公主说:"这个门是没有上锁的,因为外间屋有两只野猫,被关在里头的人,是绝对逃不出去的。"

泰山说:"那我们就从这扇门出去再说。"说着,他走到了门边。

他很容易就把门打开了,看了看,外面是一条长廊。于是,五个人都拿着蜡烛,依次走出去。走廊似乎是一步步往高处去的,走到尽头是一扇门。泰山推开门一看,外面是一条更为宽阔的走廊,这里却有一个武士在那里守卫着。公主也跟着泰山向外看去,她说:"这是属于我的一条走廊,那个武士,就是替我看门的,我很熟悉他,我还给他帮过忙,替他豁免了三十个月的捐税,他很愿意为我效力。来,你们跟我往前走,不用害怕什么。"

她领头向走廊里那个守兵所站的地方走去,其他的人都跟在她后面。

那武士见了公主,果然毕恭毕敬。公主命令他去准备五只羚羊,还要五件武士的衣服和武器,那守门的武士看了看他们,他显然认出了赞茨罗哈格,但他却猜不透另外的两个男人是谁。

那武士说:"我就这样把您放走了,明天,我可就要为公主牺牲性命了。"

珍萨拉公主不假思索地说:"那么,就索性准备六只羚羊吧!"那武士立即明白了公主的意思,感激地微笑了。

公主转身问王子:"你是特劳汉纳达尔马库斯城的王子吗?"

王子回答:"是的。"

公主说:"假如我让你恢复了自由,回到你们国里,你不会拿我当奴隶看待吗？"

王子说："在路上，你们暂时跟着我，若有人问起，就说你们是我的武士。到了我们特劳汉纳达尔马库斯城，我当然会恢复你们的自由。我被掳之后，你们把我当奴隶对待，我却决不会报复你们。我的父王常教导我：己所不欲勿施于人。"

公主仍不放心地说："这样的事，在密纽尼安族里可是从来没有过的，你父王会答应吗？"

王子说："你放心好了，这种事虽然没有先例，但我认为是可能的。只要我对父王把前后情况都说清楚了，你们一定会在阿顿卓哈基斯国王的国土上受到善意的欢迎。尤其像赞茨罗哈格这样聪明，懂得很多科学的人，我父王一定器重他的。"

过了好一阵，那武士带着羚羊、衣服和武器回来了，脸上流着汗，手上却有几处破了的地方。公主问他这是怎么了，他说："这些东西，我是抢来的。咱们得赶快走了，追兵很快就会赶到。公主，你们快把衣服穿上，把武器分一分，给，这是你们的武器。"说着，他又把刀剑递给了公主和赞茨罗哈格。

他们几个人立即骑上王羚。泰山这还是第一次骑羚羊，由于他骑马的技术很好，所以驾驭羚羊也觉得十分容易。

原来，那个为公主守卫走廊的武士，就是刚才抢回六只羚羊的人，名字叫奥拉萨。这时他说："他们一定在我的后面，从国王走廊那里追过来了。我们现在最好马上离开，但不要跑乱了。"

赞茨罗哈格还保持着他惯有的机智和镇静，说："特劳汉纳达尔马库斯城正好在窝尔托皮斯玛库斯城的东面，如果我们带着从特劳汉纳达尔马库斯城掳来的两个奴隶和一个妇女，从公主走廊逃走,他们一定会猜得出我们往哪里逃,我认为,假如我们从别的走廊走,他们就很难猜出我们要到哪儿去了。只要他们有一小会儿追错了方向,对咱们就非常有利。要是我们直奔特劳汉纳达尔马库斯城,那么,追赶我们的骑兵,用不了多少工夫,就会追上我们。为了迷惑他们,我主张来个迂回战术,让追赶我们的人摸不透我们的路线和目的地。要做到这一点,我们只有走武士走廊或奴隶走廊,然后穿越城的北山,先向北面走,绕到北面之后,再向东转,一直走到过了特劳汉纳达尔马库斯城的方位,再转向南走,最后返回特劳汉纳达尔马库斯城。在这一段时间里,那些追我们的人,大概还会在特劳汉纳达尔马库斯城和窝尔多皮斯玛库斯城之间,苦苦地搜捕我们呢!"

珍萨拉公主听了,很赞成他这个主意,就催促着说:"那么,咱们就赶紧从武士走廊走吧!"

王子也说:"这个主意很好,往城北去的路上,有树林和灌木丛,能给我们起个掩护作用。"

奥拉萨也催促着说:"我们边走边商量吧,不能再耽搁了。"

赞茨罗哈格说:"公主先走,我们跟在她后面,这样,入口处的卫兵,就很可能让公主和我们这一群人顺利地过去,卫兵会认为我们是公主的随从。我们也想办法用风帽或武器,巧妙地把脸遮挡一下,免得他们认出来起疑心,总之,这一路我们尽可能避免麻烦。快,公主,你请前面走吧。"

于是公主和奥拉萨走在最前面,其他的人,紧跟在他们身后。他们沿着回廊直奔武士走廊,一直到他们走上了武士走廊,还没发现有任何人怀疑他们或追赶他们。

可能还是由于心理作用吧,尽管周围没有什么对他们不利的迹象,可他们还是觉得,武士走廊从来没有像今夜走起来这样漫长过。他们虽然不想引起任何人的疑心,可还是不由得拼命驱赶王羚快走。最后,他们终于听到背后有了嘈杂的人声,但他们还是装出很镇静的样子,骑着王羚往前走,而没有让羚羊撒开脚步狂奔。前面就要到守卫室了,他们不想引起守卫室里武士们的警觉。

这时,走在最前面的公主和奥拉萨到了武士走廊门口的一个卫士身边,这个武士向前跨出一步,挡住了他们的去路。

奥拉萨马上上前宣布说:"这是珍萨拉公主殿下。闪开,给公主殿下让路!"这时公主打开了她风帽上的扣子,露出了她的脸。王宫内的武士们当然是认识公主的,而且大家都久有耳闻,公主很厉害,谁不怕她呢?那个武士不由得迟疑起来。

这时,公主也摆出了自己高贵的身份,大声命令说:"让开,武士,不然我就撞倒你。"

这时,在他们的身后传来了一片呐喊声,一群武士,骑着羚羊,沿着走廊疾驰而来,由于嘈杂的蹄声,使人听不清楚他们在喊什么。不过,这景象自然引起了面前这个武士的怀疑。

"公主殿下,对不起,请稍等一会儿,容我把守卫室的伍长请来。"那个卫兵说完这句话,又转身大声喊道,"伍长,请到这里来一下,这里好像有点问题,没有你的命令,我不敢放行。"接着,就有几个武士从守卫室里冲了出来。

珍萨拉公主见情况不妙,大喊了一声:"冲!"接着就催动她骑着的王羚,向前面的武士冲去,她背后的几个人,也催动羚羊,紧跟在公主的身后,武士只好闪身避开,只来得及用他的武器去刺羚羊的后腿和屁股,但这根本无济于事,等于给羚羊加上了两鞭,使它们跑得更快了。

从守卫室里冲出来的伍长和他的武士们,这时却正好和后面追来的武士们迎个正着。他们不问三七二十一,就武断地认为后面这些人和刚刚过去的人是一伙的,于是立刻挥动武器,和他们打了起来。这样一来,就给了公主和泰山这些人足够的时间,经过城里西部丛杂的树林,向北方的山岭逃去。在没有月亮的晴朗夜空下,他们很快就消失在黑暗之中。

奥拉萨说他认识去北山的路,于是就由他来领路,其他的人紧跟在他的后面,柯莫多弗劳伦萨王子和泰山殿后。

他们就这样在寂静的暗夜里,沿着弯弯曲曲的山路往山上走。这里很少有明显的能称得上路的路径,他们只能在山岩间穿来跳去。有时,他们滑下了阴湿的沟壑,就只能在沟底走;有时又爬上山岩,穿过像隧道一样的山间小路;有时又经过灌木丛或树林。路虽然很难走,但所幸的是整个夜晚,他们始终没有发现追踪而来的队伍。

终于到了第二天早晨,从一处较高的山岭上,可以看到前面稍低一点的地方,有一片广阔的平原,那里有树林和如茵的草地,还有一条小溪,向北面流过去。他们决定就在这片林间空地上休息一下,暂时安顿下来,也让他们的羚羊吃点草,它们也像主人一样,毕竟辛苦了一整夜了。

他们看这里是荒无人烟的,知道在这个山背后的僻静处,可以停留较久的时间。于是在太阳升起之后,他们就找了一块大树环绕着的小谷地,放心大胆地休息起来。他们在离开了凡尔多皮斯马库斯城,经过了一夜劳苦奔波之后,这块地方给了他们很大的安全感。于是他们放开了羚羊,让它们自由自在地吃草喝水,他们也各自选了一个合适的地方,放松地休息起来。

奥拉萨首先捉到了几只鹌鹑,泰山又从小溪里用长矛刺到了一些鱼,这些足够他们饱餐一顿了。吃过饭之后,男人们轮流守卫,其他的人都休息。他们一直熟睡到下午,以恢复他们一夜未合眼的疲劳。

直到过午之后很迟了,他们这一群人才重新上路。到天黑的时候,他们已经在山下的平原上走出很远了。王子和赞茨罗哈格,一直沿着平原的边沿往前走,大家都在注意着寻找一个适于扎营住宿的地方。后来,还是赞茨罗哈格首先找到了一个适宜的住宿地。但泰山在薄暮的幽光中,却始终没找到一个令自己满意的地方,因为他的目光,根本不注意开阔的平原,按照他多年来的习惯,他只注意那些树丛,而且他老是望着树上那些高高的枝丫。那是多好的栖身之地呀!可是现在这些树,对泰山来说,似乎都变得太高了,它们好像突然变得从来没有过的高大!

泰山忽然听到赞茨罗哈格说:"让我先进去看看。"他赶快转身看看赞茨罗哈格在说什么。

原来,三个男人都站在一个洞口。泰山向里面看了看,知道这是一个獾洞,是属于非洲獾一族。

泰山简直不理解,他们为什么看中这么一个洞,而且非要进这个洞里面去。因为泰山从来没有把獾这种小动物看在眼里,甚至都不想把它们猎捕来当食物。他这时也好奇地走过去,看见柯莫多弗劳伦萨王子已经手持利剑闯进洞里去了。

泰山问赞茨罗哈格："他钻进洞里去干什么？"

赞茨罗哈格回答说："他去看看里面有没有野猪，他准备把它赶出来，或者杀死它们。"泰山这才明白，原来密纽尼安族人管獾叫野猪。

泰山问："你们是不是从来不吃野猪的肉？"

赞茨罗哈格说："我们不打算吃它，只是想在这洞里过夜。我忘记了你不是密纽尼安族人，我们睡在野猪洞里，可以躲避猛兽的袭击。现在天快黑了，正是猛兽出来找食吃的时候。"

过了几分钟之后，柯莫多弗劳伦萨王子从洞里面出来了，说："野猪没有在里头，洞里只有一条蛇，我把它杀死了。奥拉萨，你先进去吧，珍萨拉和苔拉丝卡尔跟在你后面。你不是带有蜡烛吗？"

他们这几个人，一个跟一个都爬进了洞去，泰山独自站在洞口，向周围看了一会儿，在暮色苍茫中，他嘴角上浮起了无可奈何的微笑。现在的人猿泰山，居然要钻进洞去躲避狮子了，甚至见到野猫都害怕，真是滑天下之大稽！他正站在那里发笑，林中有一头狮子走来了。他们骑的羚羊，本来都拴在附近，听见狮子的声音，都四散奔逃。泰山急忙回头一看，竟是一头如此巨大的狮子，仿佛自己平生从未见过这么大的狮子。狮子站在那里，比泰山要大好几倍呢，怪不得密纽尼安族这样惧怕狮子。

泰山见狮子向地上一伏，竖起了尾巴，脚趾缓慢地向前移动着。泰山知道这是狮子在为扑过来作准备了。他不等狮子扑过来，就迅速地钻进了獾洞，狮子只扑到泰山刚才站过的地方，只见泥土在洞口飞溅起来。

二十一 归 程

　　泰山等一群人，晓行夜宿，就这样在路上走了三天。在这三天之中，他们一直向东，到了第四天，他们才开始转向南走。在他们面前出现了一片高大的树林，迤逦地一直向南延伸过去。在西南方向，就是特劳汉纳达尔马库斯城了。他们骑着疲倦的羚羊，至少还要再走两天，才能到达那里。泰山心里暗想，这些羚羊也实在辛苦，夜里，主人去睡觉了，把它们放开了自由活动，可是它们却不能真正放松，要时时提防着野兽的袭击，可以说整夜是提心吊胆的。到了早晨，它们必须又回到主人身边，准备驮上主人，重新上路。泰山知道羚羊之所以服服帖帖不逃走，有两个原因：第一，它们历来都是豢养在密纽尼安人的圆屋里，除了受主人的保护之外，不知道还有另外的生活方式，完全失掉了野性；第二，密纽尼安人世世代代对王羚爱护备至，使得它们对人类十分信任，喜欢和人们在一起。

　　到了第四天的下午，他们看见后面尘土飞扬，像是有追兵来了，他们六个人站住看了一会儿，黑影慢慢变大，一支队伍越走越近了。

　　赞茨罗哈格说："这大概是追赶我们的。"

柯莫多弗劳伦萨王子说："等一会儿，仔细看看，也许是我们特劳汉纳达尔马库斯本国的人。"

赞茨罗哈格说："我估计不会，因为如果是特劳汉纳达尔马库斯城的队伍，应该从我们对面来，怎么会出现在我们背后呢？"

珍萨拉公主说："不管他们是谁，他们比我们人数多，我们还是躲一下好，等看清楚了再说。"

奥拉萨看了看距离说："在他们追到之前，我们可以到树林里躲一躲，等看清楚了，再决定下一步怎么办。"

珍萨拉公主这时却说："我害怕树林。"

赞茨罗哈格果断地说："我们没有别的路可以选择了，我们要赶快，不然就来不及了，我们离树林还有一段路呢。"

过去，人猿泰山除了骑马，从来没有骑在其他动物的背上跑得这样快过。他骑着的羚羊，现在很快地飞奔着。身后滚滚的灰尘里，渐渐露出了十二个骑在羊背上的武士，泰山这一群人中，有两位是姑娘，只有四个人可以战斗，当然敌不过对方。他们唯一的出路，就是赶快躲入树林，但是否能赶在追兵来到之前，还是个问题。泰山回头看看追兵，距离越来越近了。他们的确是凡尔多皮斯马库斯城的武士，因为离得很近了，看盔甲上的符号已经能辨别出来了。武士们也认出了他们追的人，大声命令他们站住，而且已经喊出了他们之中几个人的名字。

追兵中有一个武士跑得很快，已经追到赞茨罗哈格的背后了。赞茨罗哈格本来是和泰山相并而行的，作为整个队伍的最后，在前面不远处，就是珍萨拉。那追来的武士高声叫着："公主，国王说了，只要你把奴隶交还给我们，国王决不惩罚你！你如果投降,随我们回去,国王可以宽恕你的叛国罪。"

泰山听了他们的喊话,心里暗想,不知道珍萨拉公主和赞茨罗哈格会怎么想,会作出怎样的决定。如果爱克莫尔哈格国王这次真能实践他的诺言的话,这倒不能不说是个绝大的诱惑。因为他们若是平安地回去,一切都化险为夷了,凭着公主的尊贵地位,她一定能保住赞茨罗哈格不死。这时如果没有苔拉丝卡尔在旁边,泰山真想劝公主和赞茨罗哈格回去了。但是泰山却无论如何不愿意让苔拉丝卡尔再回去当奴隶。于是他握紧了短刀,威风凛凛地站在赞茨罗哈格身边,赞茨罗哈格却不明白泰山是什么意思。

追来的人又在那里喊话:"国王说了,只要你们投降,决不治你们的罪!"

赞茨罗哈格终于明确表态了:"决不投降!"

珍萨拉公主也紧接着喊出了一声:"决不投降!"

那追兵喊道:"既然这样,你们可是自取其咎了,就不要怪我们无礼了!"

说着,十二名追兵就向前冲来,紧紧追赶着,眼看就要接近树林了。这时,林中却有一双野蛮的眼睛,望着那群逃犯和追兵,吐出红红的舌头,舔着饥饿的嘴唇。

泰山听了珍萨拉公主和赞茨罗哈格的回答,心里很高兴,感到这真是一对心意相投的好伴侣。珍萨拉自从逃出来之后,待人接物有了很大的变化,出国之前,她是个骄横的公主,但是现在,她得到了爱情,得到了幸福,不知不觉中,整个人都好像变了个样。她当然不知道赞茨罗哈格早就是爱着她的,但这一路来,她几次低声告诉赞茨罗哈格,她一向和他心心相印,只是到现在才明确觉察出来罢了。她的生命,一旦得到了爱情的滋润,她对于别人,也显得温和多了。对于苔拉丝卡尔和泰山,她感到深深的歉意,觉得自己过去做的事,太对不起他们了,只是嘴上不好意思说出来罢了。每当她和他俩目光相碰时,她总是报以微笑。苔拉丝卡尔和王子并肩而行,但王子一直没有向苔拉丝卡尔表示过爱情,但是王子却暗暗下了决心,他要娶这个女奴为妻,只是暂时还没表露出来罢了。苔拉丝卡尔的态度十分平淡,她得到了自由,这还是平生第一次,万一再被捉回去,不是处死,就是终身罚做苦工,因此,在这种时候,她没有心思去考虑爱情。

泰山等六人放开羊向树林迅速奔去,终于接近树林了。当他们窜入树林之后,对付追兵,就容易多了。因为进到树林里,十二个武士不能一齐进攻,只要泰山把各人藏身的地方布置得当,必然会分散追骑的力量。他们拼命向前跑去,奥拉萨第一个跑进了树林,并且发出了一声欢呼。其他五个人,也紧跟着进了树林。这时候,谁也没有料到,一只巨大的手伸了过来,把奥拉萨从羊背上抓走了。其他的人想转身往别处跑,但已经来不及了。原来林子里的四周,都站着巨大的阿拉里人,他们六个人,一个个都被从羊背上抓下来了,追赶他们的武士,一看这阵势,吓得转身就逃。

苔拉丝卡尔被一个阿拉里的女人抓住了,她回过头来向王子喊道:"再见了,王子!今天我能死在你身边,总比没有逃出来之前,我孤零零地死在凡尔多皮斯马库斯的石矿里,要幸福得多了!"

王子也对苔拉丝卡尔大声喊道:"再见吧,苔拉丝卡尔! 过去在很长的时间里,我没有勇气告诉你,现在面临死亡了,我一定要在死之前向你表示:我是爱你的。希望你能告诉我,你也爱我!"

苔拉丝卡尔回答说:"王子,我全身心地爱着你!"

他们俩说这些话时,完全忘记了身边还有其他的人,仿佛整个世界只有他们两人一样。

泰山抬头看了看,自己被一个阿拉里男人抓在手里,他知道自己这次难得活命了。但他非常奇怪,在他的记忆里,阿拉里族的男人一向是怕女人的,可是现在在他身边,却有一大群阿拉里族的男男女女,他们怎么敢一同出来打猎呢?而且男人们用的武器不再是木棍和飞石了,而变成了长矛和弓箭,这是怎么回事?

泰山抬头仔细看了看抓住自己的那个阿拉里男人的脸,怎么觉得有点眼熟呢?他不觉奇怪起来。那人低头看着泰山,似乎也认出了他。原来,他正是第一个女人的儿子。泰山没有等这个旧日曾经依偎着他的儿童有什么表示,也无法断定他还记不记得过去曾经依赖过泰山。但泰山记得这个人在童年时,是非常服从自己的,在这危急时刻,泰山用手语对他说:"把我放下来!并且告诉你的同伴,把我们的人都放下来,不许伤害他们。"

第一个女人的儿子,似乎认出了泰山,并且也明白了他的意思,立刻把泰山轻轻放在地上。同时告诉他的同伴们,放下他们手里的俘虏,那些男人都顺从地放下了。只有一个女人,有点迟疑,还抓住苔拉丝卡尔不肯放。于是第一个女人的儿子跳上前去,举起长矛柄就要打她,她害怕起来,马上把苔拉丝卡尔轻轻地放在地上。

第一个女人的儿子,恭顺地走到泰山身边,把他们分手后的

泰山用手语对他说:"把我放下来!"

一切经过,都告诉了泰山。他告诉泰山,他怎样教会了同伴们制造和使用新武器,一直说到阿拉里族改变了风俗为止。现在每个阿拉男人,至少都有一个女伴了,每天替他们做吃食。有些强悍一些的男人,甚至有两三个女人服侍呢。

那夜,他们大家都睡在一片空场上,有了阿拉里人的保护,泰山等人也不用再钻洞了。整个一夜,阿拉里人轮流替他们巡逻。第二天,他们横穿过平原,向特劳汉纳达尔马库斯城走去。这时,泰山暗暗考虑,决定先在特劳汉纳达尔马库斯城休养一段时间,等身体恢复了原状,然后再穿过大荆棘林,寻路回自己的庄园去。

阿拉里人陪着他们走出了平原,又护送了一段路。那些男人女人,都用手语向泰山表示感谢,由于泰山的教导,使他们改变了风俗,有了今天的生活方式。

又走了两天之后,泰山等六人终于来到了特劳汉纳达尔马库斯城的圆屋前。他们远远地走过来,守城的武士看见了他们。城里出来了一队人,走上前来。原来,按照密纽尼安族的习惯,不能等来人走近城门,必须先知道来意。当他们看清楚了柯莫多弗劳伦萨王子和泰山都回来了,不禁雀跃欢呼,有几个武士,马上骑着羚羊飞奔而去,向城里去通报好消息了。

接着,王子和泰山等六个人,都被阿顿卓哈基斯国王派来的人迎进王宫,阿顿卓哈基斯国王见王子平安归来,喜出望外,一把把王子揽入怀里,不禁老泪纵横。等他看见泰山时,吃惊的是过去巨人般的泰山,现在竟也变得和他们一样大小了,他无论如何也弄不明白这是怎么一回事。但阿顿卓哈基斯国王并没忘记泰山是他们的贵宾,在战争中还出大力帮过他们。他于是召集了文武百官,在王宫里给泰山封了很尊贵的爵位,还给了泰山极为丰厚的赏赐,专门派人为泰山重新建筑府邸,请求他永远住在这个国度里。

把泰山的事安顿完之后,阿顿卓哈基斯国王也给予珍萨拉、赞茨罗哈格和奥拉萨等人以自由,允许他们住在特劳汉纳达尔马库斯城中。王子挽着苔拉丝卡尔的手,走到阿顿卓哈基斯国王的御座前。

王子对国王说:"父王,我有一个请求,希望能得到您的允许。论我的身份,应该抢一个外国的公主来结婚,可是我和苔拉丝卡尔在被俘之后,共过患难,我们彼此深深地相爱了。我情愿放弃继承王位的权利,请父王允许我娶苔拉丝卡尔为妻。"

这时,苔拉丝卡尔缓缓地举起手来,好像有话要说,王子唯恐她反对自己因她而放弃继承王位,所以赶快按下她的手,不容她说话。阿顿卓哈基斯国王却站了起来,走下王位,把苔拉丝卡尔拉到身边,用慈父一般的眼光,打量着她。

最后,阿顿卓哈基斯国王缓慢地说:"照理,你是应该娶一位公主为妻,不过,我认为,习惯不能称为法律。我们特劳汉纳达尔马库斯国人,有权自由选择配偶。"

直到这时,苔拉丝卡尔才说:"即使照娶公主的习惯而论,以我的身份,做他的妻子,丝毫也不辱没他。"大家都愣住了,许多双眼睛都惊奇地盯着她。她继续说道:"事实上,我也是一位公主,由于我母亲在一次战争中被掳到凡尔多皮斯马库斯城,我一生下来就是奴隶,所以我母亲不许我泄露这个秘密。其实我是曼达拉玛库斯城国王的女儿。我母亲在凡尔多皮斯马库斯城的石矿里生下了我,我就在那里长大。柯莫多弗劳伦萨王子,也是在石矿里遇到我的。我母亲多次对我说过,以后一定要找一位王子结婚,不许我辱没了自己的身份。我在石矿里认识了王子,虽然我心里喜欢他,情愿天天为他烤食物,但我从来没有对他表露过爱情。现在真相大白了,我和王子是相配的,我们两人又早就互相爱慕了,只是没有说出来过罢了。"大家听了苔拉丝卡尔公主这段话,自是皆大欢喜。

好几个星期过去了,人猿泰山的身体并不见有什么变化。他在特劳汉纳达尔马库斯城虽然生活得很快乐,但心里不免怀念家乡,思念亲人,所以有时还是闷闷不乐。他决心早一点回去,穿过大荆棘林,寻找路径回家。路上虽然免不了会遇到种种危险,可是泰山自信还是应付得了的。或许在这漫长的归途中,自己的身体会恢复原状,也说不定。

泰山的朋友们都劝阻他,要他多住些日子,等身体复原了再走。可是泰山下了决心,不想再多耽搁了。终于选定了一天,他起程向东南方向走去,因为他就是从这个方向来的。国王派王子率领一千个骑兵,送泰山到大荆棘林边。在那里又耽搁了几天,在这期间,泰山又碰到过第一个女人的儿子,也向他说明了自己要走的意思。密纽尼安人不能再往前送了,就在大荆棘林边向泰山说了再会,泰山目送他们骑着羚羊回去,心里不禁有点黯然。这种恋恋不舍的心情,在泰山的大半生中,是难得的。

第一个女人的儿子和他的同伴们,也护送泰山到大荆棘林边,再远的地方,他们也不能过去了。他们和泰山挥手作别,便消失在大荆棘林里了。

泰山独自一人寻路向前走了几天,身体仍旧没有变大的征兆。他看见从前的小动物,现在都觉得大得不得了,仿佛都足以加害自己。这一路上,幸而还没碰到什么过不去的危险。夜里,泰山总是找小兽的洞穴睡下,饿了就找些鸟蛋来充饥。

有一天半夜里,泰山忽然醒来了,觉得头昏脑胀,浑身也很不舒服,这时他记起了赞茨罗哈格曾说过的话,身体在复原之前,会有不适的感觉,甚至会昏厥。泰山此时感到很危险,他躺的洞穴很小,四周漆黑,像在坟墓里一样,如果自己的身体突然变大,一定出不去,会闷死在里头。他觉得这样不行,一定要趁还来得及的时候,努力爬出洞外不可。

泰山觉得头越来越晕眩得厉害了,好像就要失去知觉一样。他于是用双手和膝盖向洞外爬去,他不知道自己还有多少时间,能不能够爬出洞外,只好尽一切力量往外爬。忽然,他感到有一阵清凉的晚风,吹进他鼻子里来了,他知道自己已经爬到了洞外。他的两腿在发抖,而且抖得很厉害,他感到自己再也没有力气了。

在他的身后,响起了一声低低的咆哮,不知是什么兽类在向这里走来,朦胧中他还能意识到,要保住性命,必须离开这里。于是他握紧短刀,钻进荆棘丛中去了。他究竟向哪个方向走的,走了多远的路,连他自己也不清楚。他只觉得身上在阵阵发热,像被火烤着一样。于是他一边走,一边把身上的衣服撕下来。接着,他就昏迷了,倒在了地上,包围着他的,是四周沉沉的夜色。

二十二
真假泰山

有一个泰山庄园上的瓦齐里武士,名叫乌赛拉的,现在正从吃人土著族阿贝贝村回来,在路上遇到了一条大蛇,他知道这种大蛇是不好惹的,只好奔进丛林里躲避。在通往丛林的路上,他突然发现一具人的骨骼躺在地上,其实,在这荒野的地方,发现一副人的尸骨,原是不足为奇的,在这一片蛮荒的丛林里,不知躺过多少具人骨呢。

但乌赛拉发现,这具骨骼不是成年人的,却是小孩子的,他不觉站住了。如果单就这么一件简单的事,还不足以使这位日夜兼程返回庄园的武士,在这吃人土著族出没的地方停下脚步,因为这样做是有危险的。他之所以停下来,因为他模糊地记起了一点事情。前不久他曾到阿贝贝村里去,寻找他久出未归的主人泰山。他曾在村中听到一些奇怪的传说,阿贝贝村的人,都说没见过也没听说过一个名叫人猿泰山的白大汉,却都对他大谈其有关水鬼的故事,还说水鬼拐走了阿贝贝村巫师卡米斯的女儿小妩娃。于是乌赛拉有意向村中的人打听,这个被叫作水鬼的,到底是怎么样的一个人。村里的人告诉他,村长阿贝贝很想给水鬼一些苦头吃,可是没能成功,水鬼反而溜走了。从地上留下的脚印看,这个被称为水鬼的人,分明是一个白人。于是乌赛拉出于好奇心,想去搜寻一些证据,看看阿贝贝人说的是真话还是谎话。

现在乌赛拉无意间看到路旁小孩的骨骼,不由得想起了妩娃失踪的事。乌赛拉于是用长矛去拨动那些骨骼,从骨堆里发现了一个黄铜项圈,这东西是吃人土著族女子常戴的,据此,乌赛拉认为这具小骨骼,是不幸的巫师的女儿小妩娃。看来,阿贝贝人多半在说谎,一个真正的水鬼是决不会留下任何踪迹的。

乌赛拉这时下定了决心,要去找那个在阿贝贝村里留下脚印的白人。听他们说,这个人既是个白人,又有惊人的力气,这人不是人猿泰山,还能是谁呢?

乌赛拉寻找主人泰山,真是用尽了心机。他爬到一棵高树的顶上去,远远望见一群羚羊,在广阔的平原上吃草。他想,如果几里外吃草的羚羊,忽然惊慌地四散奔逃起来,一定是有人或有其他兽类走近来了,如遇这种情况,他就有必要赶过去看一看。他下树去看了几次,发现羚羊们惊散的原因,都不是因为有人来,而是由于猎食的野兽,狮虎或猎豹之类。

乌赛拉又抬头向漫无边际的长空望去,只见几只秃鹫,在那里不停地盘旋。有时又看见秃鹫突然扑下来,将将接近地面,乌赛拉不觉心里一惊,是不是主人泰山正躺在那里呢?如果被秃鹫啄伤,那可如何是好?赶过去一看,又不是,虽然放了心,却又为找不到主人而失望。

乌赛拉在发现了小孩的骨骼之后,又过了三天,他静静地沿着大道向前走,渐渐接近大荆棘林了。突然,他似乎看见了什么,不觉停住了脚步,手里握紧了长矛,以防发生什么意外。他又往前轻轻走去,想仔细看一看,只见在前面一小块空地上,躺着一个全身裸露的人。那个人的身体还在动,显然他还活着,他躺在那里干什么呢?

乌赛拉一声不响,轻手轻脚地渐渐走近去,绕到那个人的侧面,看那人的身体和面貌,不觉大吃一惊。那是一个高大的白人,在白人身边,躺着一头死了很久的牛的尸骨,那白人正从牛骨上剥下一些枯干的筋肉,放进嘴里咀嚼着。这时那人似乎听到了乌赛拉的声音,微微抬起头来,向这边望着,脸上露出一种迟钝的、木木然的笑容。乌赛拉呆呆地看着他,这不正是主人泰山吗?乌赛拉赶快跑过去,把他拖起来,让他靠在自己的腿上,那人只傻笑着,笑得像一个小孩一样。乌赛拉问他许多话,他都不回答,好像他根本不会讲话似的。

乌赛拉又打量他身旁那头死牛,牛的一只角上,绕着一条金项链,项链上镶着钻石,乌赛拉认识这金链正是主人泰山的,就把它取了下来,挂在主人的颈项上。他想了想,就这样把主人带回去,有很多困难,不如暂时住下来,等主人恢复一下再走。于是乌赛拉就近选了一个地方,盖了一间草房,又天天为主人打猎充饥。这样又过了几天,看看主人的神志和语言,似乎没有要恢复的迹象。忠心耿耿的乌赛拉,只有自己一个人尽最大努力,保护着主人回家。

乌赛拉发现泰山的头上和身上,有许多处受过伤。他想,一定要赶快回到庄园,到了庄园,还有小主人夫妇在,一切就都好办了。主人的痴呆,也许与他这些伤有关,回到庄园,得赶快请一位英国的著名外科医生来,给可怜的主人治伤。

乌赛拉好不容易回到了庄园,奇怪的事发生了:格雷斯托克爵士平素最宠爱的那些狗,此时却不认识主人了!他们带泰山到他最喜爱的那头金毛狮子狗杰巴猹跟前,杰巴猹却愤怒地狂吠了起来。

杰克见泰山这副模样,简直一筹莫展,焦急地在屋里走来走去,他已经给母亲拍去电报,琴恩正在从英国回非洲庄园的途中。如果她回来了,看到泰山这副样子,对她将是多大的打击啊!万一母亲也因此急出病来,那可就更糟了。因此,杰克心里终日忐忑不安。

自从阿贝贝村的巫师卡米斯的小女儿妩娃失踪之后,他寻找了很久。只能断定是那个水鬼偷走了她,什么地方都找遍了,却一点儿影子都没有。有时卡米斯也作过最坏的猜想,说不定,妩娃早被狮子之类的猛兽吃了。他在四周的村庄里,不断打听、寻找,可是连一点儿踪迹都没有。

小妩娃生不见人,死不见尸,卡米斯始终不死心,他继续奔波搜寻,因此他向阿贝贝村的东边远远走去。那里,在乌戈戈河的北面,是一片大荆棘林,他就不辞劳苦,向这个方向寻去。有一天,天刚刚亮,他正在收拾帐篷,准备再往前走。可是忽然,他两只锐利的眼睛,看到一百米以外的空地上,似乎躺着一个很奇怪的东西。他看不到那东西的全身,只看到某些部位,所以无法断定那到底是什么。

卡米斯被好奇心所驱使,非要看个究竟不可。他小心翼翼地往前走去,看见浅浅的草丛中,露出一个人的膝盖来。这下,引逗得他的好奇心更大了,一定是有个什么人躺在草里。于是他俯下身子,向前爬去。等他爬到近处一看,他的两眼眯成了一条线,几乎喊出声来。原来他看见躺着的那个人,正是他要寻找的水鬼。看,他全身裸露着,皮肤呈棕褐色,身体高大而魁梧,一条腿弯曲着,正是刚才卡米斯从远处看到的那个膝盖。

卡米斯端起长矛,向前走去,那个身体并没有移动。卡米斯心里很奇怪,水鬼死了吗?还是睡着了?卡米斯大着胆子用长矛碰了碰他,他还是没有醒来。看样子他不像睡着了,更不像是死了,可就是不动。卡米斯俯下身去,把耳朵伏在他的胸口处,听到他的心脏还在跳,这个人还活着!

卡米斯用粗绳子把他捆绑了起来,然后自己坐在他旁边,等他醒过来,以便探问自己女儿的下落。过了好长的时间,这水鬼好像恢复知觉了,他睁开眼睛,看了看卡米斯。

卡米斯问他:"你把我女儿妩娃弄到哪儿去了?"

那水鬼想伸伸自己的胳膊,发觉自己被紧紧地捆住了。他没有回答卡米斯的问题,就好像没有听见一样。他不再挣扎,就躺在那里不动。后来又睁开眼睛来看了看自己的身体,又看了看卡米斯,仍旧不说话。

卡米斯用长矛戳着他,命令道:"起来!"

水鬼两臂被捆着,好不容易挣扎着站了起来,卡米斯押着他,往阿贝贝村落里走去。一直到天色黄昏的时候,他们才走到阿贝贝村。

村里的武士和妇女小孩们,看见巫师把水鬼带回来了,大家都非常兴奋,如果不是他们平时怕巫师的话,他们一定会一齐用刀子或石头来对付水鬼,等不到水鬼走到栅栏门前,恐怕早就被他们打死了。但是,卡米斯在喝斥着,不许他们弄死这个水鬼。他一定要先问清水鬼,自己女儿妩娃的下落,然后才能杀死他。可是不管他怎么问,水鬼就是一声不响,仿佛没听见一样,即使打他,他也还是不开口。

卡米斯一时无计可施,就把水鬼关在一间茅屋里,把他捆得紧紧的,派了两个武士看着他。巫师多次盘问他,他只是瞪着眼把巫师看看,始终不开口。

最后村长阿贝贝说:"我有办法叫他开口,等我们吃饱了饭之后,再把他拖出来,我让他开口的方法多着呢,还怕他不说话?"

卡米斯说:"随便你用什么方法都成,可就是不能弄死他,在弄清楚我女儿妩娃的下落之前,谁都不能杀死他。"

阿贝贝说:"难道我连这个都不知道,你就放心吧。在他死之前,我一定把口供问出来。"

卡米斯嘟囔着说:"他是个水鬼,他也许永远不会死的。"

当这些吃人的土著人吃饱了肚子之后,他们在院中烧起了一堆篝火,在火上烧着烙铁。卡米斯坐在大门前,在准备表演他的巫术:他玩弄着几块木片,木片外面包扎着树叶,还有几块圆石头,还有一截斑马尾。

村民们都围拢过来看热闹,大家都想看看卡米斯到底如何作法。然后,几个有气力的人把水鬼粗暴地拖了出来,拖到巫师茅屋的门口。村长阿贝贝也坐在那里。他看见群众都往后退,让出了一条路来。这时被拖出来的人也看见了那堆火,火上烧着两把烙铁,这时烙铁已经烧红了。

卡米斯厉声地问:"你到底把我的女儿妩娃弄到哪里去了?说!"

水鬼仍旧不回答。他自从被押到这个村子之后,一句话也没有说过。

阿贝贝说:"烧瞎他的一只眼睛,看他开口不开口。"

一个女人忽然喊道:"烧掉他的舌头!"

卡米斯喊道:"烧掉舌头他还会说话吗,你这个蠢婆娘。"

巫师站起来又问水鬼,水鬼还是不回答。于是卡米斯重重打了水鬼一个耳光,但水鬼始终没开口。卡米斯实在气得忍不住了,他从火堆上取过一把烧红的烙铁来。

阿贝贝恶狠狠地喝道:"先烧瞎他的右眼!"

就在这时,水鬼肩头上的肌肉,一块块鼓胀起来,绷得紧紧的,他用尽平生之力,只听到他的背后发出声音了,原来他手上的绳子挣断了。刹那间,他钢铁一般的手指,抓住了卡米斯,两眼凶恶地凝视着他。巫师手里的烙铁,掉在地上了。他看着水鬼的脸色,知道他要杀死自己了,惊慌失措地叫起来。

村长阿贝贝首先跳了起来,武士们也都跟着包围上来,但是他们都不敢靠近水鬼。他们都认为阿贝贝和卡米斯都惹恼了水鬼,他们是自取其祸,现在报应来了,水鬼当然饶不过他们。这些人一边看一边向后退,他们各自心里都在想:只要我不得罪水鬼,水鬼不见得会跟我过不去。于是他们呼啦一下,都往各自的茅屋里逃,同时把各自的妻儿也带走了。

到后来,竟连阿贝贝也逃走了,那水鬼两手紧紧抓住卡米斯,把他高高举起来,去追赶阿贝贝。阿贝贝刚跑进茅草屋里,只听得咔咔咔一声响,茅屋顶竟塌下来了。紧接着,一个人的身体,落下来砸在了阿贝贝身上,把阿贝贝吓得半死,以为水鬼从屋顶上跳进来,要捉他了。他心里虽然害怕,但还是不能束手待毙,茅屋里已经没地方可逃了,他只好拔出刀来自卫。

阿贝贝见掉下来的那个人,并没有马上跳起来向自己扑过来,而只是躺在地上不动,好像是摔晕了。于是他正好趁此机会,向那人身上连刺几刀,估计那个人已经死了,阿贝贝才带着胜利的骄傲站起来,拖着那个尸体,拖到茅屋外的月光下,向火堆走去。他得意地喊道:"过来,我的村民,你们不用害怕,你们的村长阿贝贝已经把水鬼杀死了,你们都快来看啊!"他一边喊着,一边回头看了一眼那个尸体,不看还好,等他看清了那尸体是谁,他自己也吓得坐在地上起不来了。原来他身后的尸体不是别人,正是巫师卡米斯!人们都围过来,看清楚了那个死尸,都吓得说不出话来,只是你看看我,我看看你。阿贝贝这时似乎清醒过来了,就命令几个武士到茅屋周围去找,在整个村子里搜查,结果连水鬼的影子也没找见。

他们找到村门边,只见村门紧紧关着,但在那里的尘土中,却分明有一双赤脚的脚印,那正是一个白人的脚印!于是阿贝贝失魂落魄地回到村寨中来,那些被吓坏了的村民,还正等待着听他的结果呢!

阿贝贝喘着气说:"我看一定是卡米斯认错了,他捆回来的那个人,绝不是水鬼,他一定是咱们早就听说过的人猿泰山。因为只有他,才会有这么大的力气,挣断捆着他的绳子,还把卡米斯高高地举起来,把他从我的茅屋顶上扔下来。我看,也只有人猿泰山才能从我们关得结结实实的村门上跳出去。"

格雷斯托克爵士夫人琴恩,收到儿子杰克的电报,马上带着一位伦敦著名的外科医生,日夜兼程地往非洲的庄园别墅赶来。他们一行共有三人,除了琴恩和医生之外,还有一位女护士,名叫弗洛兰·霍克斯。他们经过航海,入非洲之后,又骑马奔驰过陆地。终于赶到了玫瑰花围绕着的庄园。琴恩和外科医生顾不得休息,就急不可待地照直到泰山的屋子里去了。在屋里,琴恩看见被瓦齐里武士救回来的泰山,正坐在一把轮椅上。他脸上十分淡漠地看着进来的人,那神情似乎有点茫然。

琴恩见泰山这副样子,不由得含泪俯下身去问他:"约翰,你还认识我是谁吗?"只见泰山抬起头来,神色木然地看着琴恩,看他那样子,不但仿佛从来没见过琴恩,就连约翰是自己的名字,似乎都不知道。琴恩觉得眼前的泰山瘦弱了许多,看那面貌轮廓虽然像泰山,可是那神情,却远远不像泰山了。

杰克怕母亲过分难过,就搂着琴恩的肩膀,扶她走到一边去,忍不住流下眼泪来说:"现在看来,他对咱们家的人,一个也不认识了,只好等到手术之后,再看情况了。妈妈,请不要难过,我看,在手术之前,恐怕我们对他什么事也不能做!亲爱的妈妈,你赶快休息吧!旅途上你已经够劳累的了,要再把你急出病来,可就更糟了。"

第二天,外科医生给这位痴痴呆呆的泰山做了检查,发现他的颅骨,最近曾受过一次损伤,需要进行一次手术,才能恢复患者的思考能力和记忆能力。

格雷斯托克爵士夫人回到庄园以后,两位来自内罗毕的医生还有几位护士,也参加了这个手术。

当手术在进行时,琴恩、杰克和梅林都在隔壁的房间里不安地等待着,不知道这次手术是否会成功,他们都默默地盯着进行手术那间屋子的房门。他们眼睛里充满了期待的神情,直到那扇屋门最后打开。主治医生第一个走了出来,在外面等着的人,都围了上去,殷切地望着他,等着他把手术的结果告诉他们。

那位主治医生说:"目前看来,我还不能肯定地告诉你们什么,不过,手术是成功的。结果如何,还要等几天再看。在最近这几天里,除了护士之外,别人还暂时不能进病房里去。连护士我也叮咛过了,除非必要的时候,最好不要跟他谈话,因为我还在继续给他用药,使他的下意识也处于休息的状态。格雷斯托克爵士夫人,我劝你不必担心,我敢保证格雷斯托克爵士肯定会恢复健康,您只需放心地等待就成了。"

过了十天,从伦敦来的外科医生仍守在格雷斯托克爵士的病房里,等待着手术后的结果。患者的知觉,在手术和药物的作用下,有着缓慢恢复的迹象。就这样日以继夜,时光像过得异常迟缓,至今从病人的房间里,没有听到过任何谈话的声音。

有一天晚上,刚刚亮起灯光来,大家都聚集在别墅里那间宽敞的起居室里。门忽然开了,一个护士走了进来,她脸上带着一种迷惑的神情,但嘴角上却明显地挂着微笑。在她的身后,外科医生也跟了进来。他自从手术后,一直苦恼于不知道下一步该怎么办,现在他明确地宣布说:"我认为格雷斯托克爵士很快会恢复起来。他现在已经恢复知觉了,只是,他还不知道自己是谁,似乎得有人去告诉他。"他停顿了一下,又接着说,"我认为这种情况,对他这种病情来说,还是属于正常的。"

这时,患者也从病房里走出来了,他慢慢地走进了起居室,脸上带着一种奇怪的表情,好像他是平生第一次走进这间陌生的房间。可是家里的人都知道,过去泰山在庄园里的时候,这间屋子是他最常待的地方。大家看他现在这副样子,都愣住了,一时谁也没有说话。

外科医生指着琴恩,温和地轻声对患者说:"这位是您的妻子,格雷斯托克爵士夫人。"

琴恩站起来,迟疑地穿过房间向自己的丈夫走去。患者也伸出手来,脸上带着微笑,向她走来。就在这时,一个人突然奔到他们中间说:"我的上帝啊,格雷斯托克爵士夫人,这个人不是您的丈夫。"大家一看,说话的正是从伦敦来的那位女护士弗洛兰。她两眼直直地盯着患者,继续说:"我认出他了,他是埃斯特本·米兰达,一个西班牙人。我早就听人说起过他,他的外貌和体型,太像格雷斯托克爵士了,所以他就冒充泰山,到处招摇撞骗。怪不得他手术后,在呓语中常念叨着'米兰达,米兰达'。过去我在伦敦,是见过格雷斯托克爵士本人的,他根本不是!只是他刚才的一笑,才让我看出来,他绝对不是格雷斯托克爵士!"

这时,处于迷惘之中的琴恩说道:"弗洛兰,你说的是真的吗?是的,我也总觉得他什么地方不太对劲,不!不!这到底是怎么回事?这些天来,我一直以为我的丈夫已经回来了,难道,我的丈夫又从我身边消失了吗?这些天来我牵肠挂肚的,难道真是另外一个人?谁能告诉我,这到底是怎么回事?我的上帝!这到底是发生了什么事?"

有好一会儿工夫,眼前的这个男人就愣在那里。接着,他摇摇晃晃起来,好像站不住要跌倒的样子,外科医生赶紧上前扶住了他。他自言自语有气无力地说:"我病得很重,还没有恢复。我想,我就是格雷斯托克爵士吧!但是我记不起面前这个女人。"最后一句,他指着弗洛兰说的。

弗洛兰高声说:"你撒谎!"

正在这时,忽然从大家背后响起了一个平静而有力的声音:"说得不错,他撒谎。"

大家一齐转过身来,只见通回廊的落地大窗子外面,站着一位健美而魁梧的白人男子。他一身风尘仆仆的样子,但这些却丝毫掩盖不住他英俊豪爽的神态。他边说着,边迈步从窗子上跨了进来。

"啊!约翰!"琴恩叫了一声,就向他跑过去。接着说:"我怎么会没看出,他根本不是你!我亲爱的!你让我担心得好苦啊!"下面的话她已经说不出来了,人猿泰山已经把他的妻子紧紧地揽在怀里,用他火热的嘴唇堵住了她的嘴唇。